Une minute plus tard, je marche sur un sentier de montagne, écartant des branches d'arbres déformés par le vent. Je sais, avec la certitude qu'on a dans les rêves, que je suis dans le Montana, en train d'explorer.

Derrière moi, des feuilles bruissent. Je me retourne à temps pour voir quelque chose disparaître dans le sous-bois. J'avance de quelques pas. Des yeux jaunes luisent dans les arbustes.

Soudain, j'ai très peur. Je commence à courir. J'entends quelque chose derrière moi, mais je ne veux pas me retourner.

Le sentier se termine abruptement au sommet d'une falaise. J'entrevois des rochers et l'eau en contrebas. J'ai le vertige. Je vacille près du bord. Puis je me retourne. Je dois voir ce qui me pourchasse.

Il n'y a rien. Et je tombe.

LA COLLECTION NOIR POISON

Morte de peur

Mimi McCoy

Sombre secret

Ruth Ames

Troublantes coïncidences

Brandi Dougherthy

Étranges impressions

Jane B. Mason et Sarah Hines Stephens

Loup-garou de minuit

Pour James et Fiona, qui sont parfois de vrais animaux sauvages!

Catalogage avant publication de Bibliothèque et Archives Canada

Hutton, Clare
Loup-garou de minuit / Clare Hutton ;
texte français d'Isabelle Allard.

(Noir poison)
Traduction de: Midnight howl.
Pour les 8-12 ans.

ISBN 978-1-4431-1452-3

I. Allard, Isabelle II. Titre. III. Collection: Noir poison

PZ23.H89Lo 2011 j813'.6 C2011-901815-2

Illustration de la couverture : Liz Adams
Conception graphique de la couverture : Yaffa Jaskoll

Édition publiée par les Éditions Scholastic,
604, rue King Ouest, Toronto (Ontario) M5V 1E1.

5 4 3 2 1 Imprimé au Canada 121 11 12 13 14 15

Loup-garou de minuit

Clare Hutton

Texte français d'Isabelle Allard

Éditions
SCHOLASTIC

Chapitre un

— Tu vas *mourir*, gémit ma meilleure amie Talia, ses yeux bruns écarquillés d'horreur.

— Ne sois pas ridicule! dis-je en éclatant de rire.

Talia fait la grimace.

— Tu vas être complètement perdue, là-bas, insiste-t-elle. Et je ne pourrai pas survivre sans toi.

Assises sous un vieux chêne, sur le terrain de notre école, nous mangeons des sandwichs achetés au café voisin. C'est une belle journée de septembre. Le ciel est bleu, le soleil brille, et une douce brise soulève mes boucles brunes rassemblées en queue de cheval.

L'école a recommencé il y a deux semaines, et j'ai l'impression que Talia et moi avons passé tout ce temps à répéter les mêmes choses. Demain, je vais quitter ma ville natale d'Austin, au Texas, pour trois mois.

— Mais tu adores Austin! insiste Talia d'un air triste, en ramenant ses cheveux noirs mi-longs derrière son oreille. Et la septième année est déjà commencée! On doit étudier ensemble! Et organiser la danse d'Halloween! Marisol, tu *ne peux pas* partir. Tu ne seras pas heureuse dans ce coin perdu.

Elle chiffonne son sac de croustilles vide et me regarde, les lèvres tremblantes. Talia est très, très théâtrale. L'an dernier, elle m'a téléphoné en pleurant tellement fort qu'elle n'arrivait pas à parler. J'ai cru qu'elle était malade, ou que quelque chose était arrivé à sa famille. Je me suis dépêchée d'aller chez elle à vélo, tout ça pour apprendre qu'elle n'aimait pas sa nouvelle coupe de cheveux… qui n'était pourtant pas si mal!

Le fait que Talia soit excessive, comme à son habitude, m'empêche de montrer ma nervosité. Étant la plus raisonnable des deux, je ne vais sûrement pas admettre que j'ai des doutes au sujet de mon départ. C'est vrai que j'aime Austin. C'est la meilleure ville du monde. On peut se rendre à peu près partout à pied ou à vélo. C'est une belle ville, remplie d'excellents restaurants, de cafés branchés, de beaux sentiers de randonnées et de musique géniale. Mais je ne pars pas pour toujours. Dans trois mois, je serai revenue.

Toutefois, l'idée de quitter ma maison me donne un frisson de nervosité, mais je n'en fais pas un plat.

Je prends une grosse bouchée de mon sandwich en me rappelant comment ce voyage imprévu a été décidé.

Quand ma mère et moi avons appris que les habitants de notre immeuble devaient quitter leur appartement pour quelques mois (l'électricité de l'immeuble devait être entièrement refaite, pour éviter les incendies!), j'ai cru que nous allions simplement louer un autre appartement à Austin.

Au lieu de cela, ma mère m'a dit qu'elle voulait discuter. J'ai tout de suite su que c'était quelque chose d'important.

— Marisol, je pense qu'on devrait aller vivre chez Michelle, dans le Montana, pendant les réparations du câblage électrique.

Michelle et ma mère ont partagé une chambre à l'université, il y a longtemps. Je ne l'ai jamais rencontrée, mais j'en ai beaucoup *entendu parler.* Elles se retrouvent tous les deux ans pour une fin de semaine à New York, et Michelle nous envoie toujours une carte à Noël. Mais ça ne me semblait pas être la meilleure solution à notre problème.

Puis ma mère a poursuivi ses explications, et j'ai compris son raisonnement.

Michelle et sa famille tiennent un gîte touristique avec des chevaux (Yéh! je vais apprendre à monter!), dans la petite ville de Wolf Valley (la vallée des loups), près du parc national *Glacier au Montana*. La haute saison étant en été, ils ont des chambres libres en automne et en hiver. Et ça fait une éternité que Michelle supplie ma mère de venir lui rendre visite. Ma mère est réviseure pour un magazine en ligne, elle peut donc travailler de n'importe où, sans problème.

— C'est une occasion incroyable pour découvrir de nouvelles choses! a dit ma mère d'un ton excité. Quand aurons-nous encore la chance de vivre une telle expérience? Bientôt, tu iras au secondaire et tu ne pourras plus changer d'école aussi facilement. Et ensuite, ce sera l'université. C'est maintenant ou jamais! Et si ça nous plaît, on pourra même y passer le reste de l'année scolaire! Il faudra donner un coup de main avec les clients au printemps, mais l'auberge n'est pas très occupée avant l'été.

J'ai levé les yeux au ciel avant de répondre :

— Maman, ce sera une grande aventure, mais je crois que je voudrai rentrer à la maison après trois mois de cohabitation avec des étrangers.

Mes parents ont divorcé quand j'avais huit ans, et mon père est à Miami. L'endroit où l'on vit ne fait donc aucune différence pour lui. Je passe toujours une partie de mes vacances d'été et de Noël avec lui. Même si le trajet est plus long depuis le Montana que depuis le Texas, ce n'est qu'un voyage en avion.

Je suis moins spontanée que ma mère, mais la perspective de passer quelques mois au Montana m'a paru merveilleuse. J'ai toujours vécu à Austin, à part mes séjours à Miami et quelques petits voyages de vacances. Au Montana, je pourrai mener une vie complètement différente! Génial, non? Alors, j'ai surmonté mes craintes et me suis dit que ma mère avait raison. C'était une occasion incroyable.

Mais à présent, assise sur la pelouse avec ma meilleure amie qui affiche un visage triste, je sais qu'elle ne pourra pas se réjouir de ma chance. Je sais aussi que si j'admets éprouver la moindre nervosité, Talia va reprendre ses lamentations, ce qui augmentera mon anxiété. J'avale ma dernière bouchée de sandwich et lui serre le bras pour la rassurer.

— Talia, dis-je, c'est seulement pour quelques mois. Je serai de retour avant Noël.

Talia gémit et tombe à la renverse sur le gazon en fermant les yeux.

— J'ai peur que ce soit la fin, Marisol, gémit-elle. Après trois mois dans ce trou perdu, tu mourras d'ennui. Que vas-tu *faire*, là-bas?

Je m'étends à ses côtés et entreprends de la

rassurer. L'herbe chaude sent encore l'été.

— Tout va bien se passer. Le Montana sera super. Je pourrai faire de la randonnée et du vélo, explorer les environs. Il y aura plein d'animaux. Et pense au ciel étoilé! À la campagne, les étoiles sont magnifiques sans les lumières de la ville. Je pourrai voir des choses que je n'ai jamais vues avant!

Austin est une ville de plein air — il y a un grand parc près de mon immeuble —, mais ce n'est pas la campagne. Et comme j'adore l'astronomie, je suis impatiente d'utiliser le télescope que mon père m'a offert à Noël.

Talia fait la grimace. Elle aime le théâtre et la danse, et n'a aucun intérêt pour les activités de plein air. Marcher et observer le ciel, ça ne lui semble pas très excitant.

— Peut-être que la direction de l'école refusera que tu partes? dit-t-elle avec espoir.

— Non, ils ont déjà accepté. Ils considèrent cela comme un semestre à l'étranger.

Nous fréquentons une école publique alternative. On y encourage tous les élèves à poursuivre leurs rêves, du moment qu'ils répondent aux exigences du curriculum.

Talia soupire et me lance un regard peiné.

— Tu vas me manquer, murmure-t-elle.

Bien sûr, je sais que c'était ce qu'elle voulait dire depuis le début. C'est tout de même agréable de l'entendre. Je la serre dans mes bras.

— Tu vas me manquer aussi, Talia, dis-je. Mais tout va bien se passer. On va se téléphoner, s'envoyer des textos et des courriels. Tu n'auras qu'à te dire que je suis partie pour de longues vacances.

Je me couche ce soir-là après avoir préparé mes bagages. Je regarde les étoiles phosphorescentes sur mon plafond et essaie de voir les choses ainsi : je pars seulement en vacances. Toutefois, couchée dans mon lit à écouter les pas et les rires des passants devant l'immeuble, j'éprouve un frisson d'anxiété. Maintenant que je suis seule, je dois avouer que je *suis* un peu nerveuse. Qui ne le serait pas à ma place? C'est vrai que plonger ainsi dans l'inconnu peut être une aventure incroyable, mais c'est aussi un peu effrayant. L'estomac noué, je finis par sombrer dans un sommeil agité.

Une minute plus tard, je suis dehors. La nuit est claire et l'air est vif. Je marche sur un sentier de montagne, écartant des branches d'arbres déformés par le vent. Des feuilles mortes craquent sous mes pas.

Au-dessus de ma tête, le ciel s'assombrit, mais je n'ai pas peur de m'égarer. Je sais, avec la certitude qu'on a dans les rêves, que je suis dans le Montana, en train d'explorer. Mon cœur bat rapidement, mais d'excitation et non de crainte.

J'atteins une clairière et lève les yeux vers le ciel. Les constellations du Cygne, de l'Aigle et de la Grande Ourse brillent là-haut. Elles semblent si près que j'ai presque l'impression de pouvoir les toucher. Au-dessus de la cime des arbres flotte une énorme pleine lune jaune.

Derrière moi, des feuilles bruissent. Je me retourne à temps pour voir quelque chose disparaître dans le sous-bois. Serait-ce un chat?

J'avance de quelques pas. Des yeux jaunes luisent dans les arbustes. Un coyote? Je m'accroupis pour regarder sous le buisson. L'animal pousse un gémissement. Un son éteint et désolant.

Le vent s'intensifie. Malgré le bruit, je distingue la voix de Talia. Elle est faible mais claire, et bien plus alarmante que son ton blagueur d'il y a quelques heures:

— Tu vas mourir.

Soudain, j'ai très peur.

Je commence à courir. J'entends quelque chose derrière moi, mais je ne veux pas me retourner.

Le sentier se termine abruptement au sommet d'une falaise. J'entrevois des rochers et l'eau en contrebas. J'ai le vertige. Je vacille près du bord. Puis je me retourne. Je dois voir ce qui me pourchasse.

Il n'y a rien. Et je tombe.

Je me réveille en sueur, le cœur battant. Mon horloge indique 2 h 17. Je pourrais réveiller ma mère ou envoyer un message à Talia. Elle doit dormir, mais le fait de lui écrire me calmerait peut-être. Au lieu de cela, je me lève et me dirige vers la fenêtre.

Tout est calme à l'extérieur. Personne ne marche devant notre immeuble. Les rues sont presque désertes, mais une voiture passe de temps à autre, les pneus chuintant sur l'asphalte. Les lampadaires sont allumés, et la vue de la ville paisible m'aide à me détendre. Ma respiration reprend peu à peu un rythme normal.

Ce sera génial au Montana, me dis-je d'un ton incertain.

Chapitre deux

La première chose que je remarque en arrivant dans le Montana, c'est à quel point il fait *froid.* En sortant du petit aéroport, au parc national *Glacier,* je me rends compte que ma jolie camisole mauve et mon jean, qui étaient parfaits pour un jour de septembre à Austin, sont *nettement* insuffisants.

Je suis épuisée. Apparemment, il n'existe pas de vol direct du Texas jusqu'ici. Il nous a donc fallu *beaucoup* de temps pour arriver à destination.

Dehors, le ciel est d'un bleu éclatant. J'aperçois d'énormes montagnes au sommet enneigé non loin.

— Superbe! dis-je en admirant la vue. Maman, regarde!

Mais ma mère n'observe pas le paysage. Elle a un

grand sourire et adresse des signes frénétiques à une femme aux longs cheveux blonds frisés et au visage parsemé de taches de rousseur. Elle vient de descendre d'une camionnette rouge et agite la main avec autant d'enthousiasme que ma mère.

— Michelle! crie ma mère. Michelle!

— *Maman!* dis-je à voix basse, embarrassée. Elle est à un mètre. Tu n'as pas besoin de *crier.*

— ANNE! crie à son tour la femme, bien qu'elle soit à trente centimètres de nous.

Elles s'étreignent.

Quand elles se séparent, Michelle me saisit et me serre dans ses bras. Elle sent le savon et un peu le cheval.

— Marisol! s'exclame-t-elle. Je n'arrive pas à croire que c'est la première fois que je te vois! Tu es tellement grande!

Puis elle se tourne vers ma mère et dit :

— Elle est comme toi quand je t'ai rencontrée!

Et ainsi, elles commencent à se rappeler des souvenirs, puis je vois une fille de mon âge descendre de la camionnette. Si sa mère a sauté du véhicule et couru vers nous d'un air ravi, la fille, elle, prend tout son temps, et ne sourit pas. Elle aussi a de longs cheveux blonds frisés et des taches de rousseur. Ses yeux bleu clair me fixent avec méfiance.

— Bonjour, dis-je en m'approchant. Je m'appelle Marisol. Tu es la fille de Michelle?

— Héléna, marmonne-t-elle en courbant les épaules, les yeux rivés sur ses chaussures.

D'accord... d'accord. Est-ce qu'elle me déteste déjà, ou est-elle seulement timide?

Je fais une nouvelle tentative.

— Ma mère ne m'avait pas dit que tu avais mon âge, dis-je en souriant. Tout ce qu'elle a dit, c'est « Michelle et sa famille ». Elle aurait pu mentionner qu'on avait le même âge, non?

Héléna me fait un petit sourire, puis détourne le regard.

Ma mère rougit.

— Je suis désolée, Michelle. Je dois admettre que j'avais oublié l'âge de tes jumeaux. Je pensais qu'ils étaient plus jeunes que Marisol.

Michelle hoche la tête. Elle ne semble pas insultée par l'oubli de ma mère.

— Héléna et Julien ont douze ans.

Attends une seconde. Des jumeaux? *Julien?*

Ma mère a oublié de me dire que j'allais vivre avec un *garçon* pour les trois prochains mois?

Pour la plupart des filles, cela ne serait pas un problème. Elles ont des frères. Ou des copains qu'elles connaissent bien et voient souvent, qui sont comme de la famille.

Mais moi? Je suis une fille qui vit avec sa mère et qui a des *amies*. Je n'ai pas de cousins, ni de vrais copains. La dernière amitié que j'ai eue avec un garçon s'est terminée quand Théo Colbert a volé mon crayon à paillettes en deuxième année. Je *connais* des garçons, bien sûr, mais pas de très près. Et certainement pas assez pour vivre avec eux.

En général, j'essaie de garder la tête froide. Mais ça ne veut pas dire que je ne crains pas les situations sociales embarrassantes, comme partager une salle de bain avec un garçon. Je commence à paniquer. Ma première pensée est que je ne pourrai plus porter mon pyjama pour déjeuner. Et je devrai me brosser les cheveux avant de sortir de ma chambre le matin.

Je dois faire une drôle de tête, car Michelle me jette un regard inquiet.

— Ça va, Marisol? Tu as faim? demande-t-elle.

Je lui souris, soulagée d'avoir une excuse pour arrêter de penser aux garçons.

— Je suis affamée!

— Eh bien, on devrait y aller, alors, dit-elle d'un ton joyeux.

Je grimpe maladroitement dans la camionnette, en me hissant sur le marchepied. Je trébuche et m'affale sur le siège arrière.

— Oups! dis-je en riant. Je n'ai pas l'habitude de monter dans les camionnettes. Nous avons une voiture hybride au Texas.

Héléna hausse les épaules et se tourne vers la fenêtre.

Hum, me dis-je. *Pas très sympathique, celle-là.*

Michelle se tourne vers moi :

— La maison est à environ 90 minutes d'ici. Si tu as faim, on pourrait passer par un service à l'auto avant de quitter la ville.

Je regarde par la fenêtre. Il y a une vue magnifique, et à peu près rien d'autre. Seulement quelques maisons et un petit centre commercial, avec des magasins et un McDonald.

— Où est la ville?

Héléna me fixe sans rien dire.

Michelle éclate de rire.

— Ici! dit-elle en écartant les bras. Ça n'a l'air de rien, mais c'est ici que nous venons faire nos courses. Là où nous vivons, c'est la vraie campagne.

— Ah bon, dis-je avec nervosité. C'est... super. Mais je ne peux pas manger au McDonald, parce que je suis végétarienne.

— Quelle coïncidence! s'exclame Michelle. Héléna

aussi! Tu pourras manger la même chose qu'elle.

Héléna parle pour la première fois depuis qu'on est montées dans la camionnette.

— C'est plutôt difficile de trouver quelque chose à manger en ville. Je suis végétalienne, alors je ne mange même pas de fromage. La plupart du temps, je ne peux manger qu'une salade et des frites.

— Il n'y a pas de mets chinois ou indiens? dis-je. De sushis végétariens? De cuisine tex-mex?

Héléna secoue la tête.

— Bon, dis-je faiblement.

Si pendant trois mois je ne mange rien d'autre que de la salade et des frites, Talia avait raison : je vais sûrement mourir... de malnutrition.

Je me rapproche d'Héléna et chuchote :

— Peut-être qu'on meurt de faim, ici, mais un jour, tu viendras à Austin. Tu verras, on y mange de la *vraie* nourriture. On a la meilleure nourriture mexicaine de la planète... enfin, à part celle du Mexique!

Elle me lance un regard étonné et rougit. Puis elle se retourne vers la fenêtre. Je soupire et appuie la tête contre ma propre fenêtre. Apparemment, le fait de partager une aversion pour la viande n'a pas suffi à briser la glace.

Mais je vais me débrouiller — même si je dois

vivre et aller à l'école avec une fille qui m'adresse à peine la parole, cohabiter avec un garçon étranger et me contenter d'un régime de pommes de terre frites et de laitue iceberg. On vient à peine de quitter l'aéroport, et j'ai déjà le sentiment que mon séjour ici est voué à l'échec.

Chapitre trois

Je dois reconnaître que le gîte touristique est charmant. C'est une grande maison en rondins, entourée de petites cabanes de bois éparpillées parmi les arbres. *Comme si elles étaient les bébés de la maison principale*, me dis-je en souriant.

— Voici les chalets pour les clients, dit Michelle à ma mère en les désignant. Je vous y installerais bien, mais il peut y faire froid en automne. Et on ne manque pas d'espace dans la maison.

À côté de la grande maison, j'aperçois un espace dégagé devant une écurie et une piste équestre. La brise apporte la senteur des chevaux. Une immense forêt verdoyante sépare le ranch d'une haute montagne qui s'élève à l'horizon. Le ciel est vaste, bleu et sans nuages.

Je prends une bonne bouffée d'air frais de la campagne (et d'écurie), et me dis que je vais bien m'amuser ici, quoi qu'il arrive. Je me force à sourire et me dirige vers la maison à la suite de Michelle et de ma mère. Pendant que j'observais les alentours, Héléna nous a devancées.

À quelques pas de la porte, je m'arrête. Michelle et ma mère sont déjà à l'intérieur. Je suis seule. Tout est incroyablement calme. J'entends un cheval hennir au loin.

Je pivote sur moi-même. Des feuilles bruissent dans la brise, et tout est paisible. Mais j'ai l'étrange sensation d'être observée. Je reste immobile.

C'est mon imagination, me dis-je. *Je suis fatiguée, et le rêve d'hier me rend nerveuse.*

Une brindille craque dans les broussailles, près de la route.

Je me hâte d'entrer dans la maison, le cœur battant.

La porte s'ouvre sur une cuisine accueillante et confortable, où flotte une bonne odeur de nourriture. Aussitôt à l'intérieur, je ris de ma frayeur. Un garçon occupé à hacher des légumes me sourit.

— Bonjour, ça va? Je suis Julien.

Julien est un beau garçon. Avec ses cheveux

blonds très courts, ses yeux bleu clair et ses taches de rousseur, il est évident qu'il est le frère d'Héléna. Toutefois, son sourire amical donne à ses traits une allure tout à fait différente du visage méfiant de sa sœur.

— Bonjour, lui dis-je avec timidité. J'aime bien votre maison.

Elle a un style western : des murs en rondins, des tableaux représentant des chevaux, de gros canapés et des fauteuils confortables. L'endroit idéal pour se blottir devant un feu crépitant après une longue journée d'équitation dans les bois.

Son père s'avance pour serrer la main de ma mère. Il me sourit.

— Je suis Martin. Nous sommes très heureux de vous recevoir. Michelle est tellement contente!

Il est grand et costaud, avec un visage sympathique. Cette famille est vraiment accueillante, à l'exception d'Héléna. Je ne comprends pas cette fille.

— Est-ce que je peux t'aider? dis-je à Julien, qui semble être le seul à cuisiner.

— D'accord, dit-il. Préfères-tu préparer le pain de maïs, frotter la marinade sur les steaks ou terminer la salade?

J'hésite. L'idée de toucher à de la viande crue me dégoûte.

— Je vais faire le pain de maïs.

— Super! dit-il en me tendant un bol. Casse un œuf, ajoute une tasse de lait et un quart de tasse d'huile végétale en battant. Ensuite, on mettra la farine et le reste.

Je dépose le bol sur le comptoir et sors un œuf.

— Dis donc, lui dis-je. Tu sais vraiment cuisiner!

J'ai toujours cru que les garçons considéraient la cuisine comme une activité peu virile. Mais comme je l'ai dit, je ne connais pas vraiment de garçons.

— Ouais, dit Julien. Je veux devenir chef.

Il est en train de frotter une substance huileuse avec des feuilles séchées sur la viande. Pouah! Je détourne le regard et me concentre sur les liquides que je dois battre.

— Je fais partie du club de cuisine, à l'école, ajoute-t-il. Tu devrais te joindre à nous! On essaie des recettes et on va dans différents restaurants. À la fin du semestre, on va faire une grande fête.

— Je ne sais pas, dis-je, embarrassée. Je suis plus douée pour manger que pour cuisiner.

— Marisol est végétarienne comme ta sœur, lui dit sa mère. Assure-toi qu'il y ait assez de salade!

— Pas de problème, répond-il. Je prépare des brochettes de légumes pour Héléna, alors j'en ferai aussi pour toi. Et il y aura du pain de maïs, de la salade et des fèves au four.

— C'est parfait, merci! dis-je.

Je ne mourrai pas de faim pendant trois mois, finalement!

Julien tend les brochettes de légumes et les steaks à son père pour qu'il les fasse griller, finit de préparer la pâte à pain et la met au four. La salade est prête, les fèves sont en train de cuire. Michelle et ma mère discutent.

Je suis assise sur un haut tabouret au comptoir de la cuisine. Julien prend place à côté de moi.

— Hum, dit-il en agitant nerveusement la jambe. Alors, si la cuisine n'est pas ton truc, qu'est-ce qui t'intéresse? Il y a beaucoup d'activités à l'école, comme des clubs sportifs ou artistiques. On a une bonne équipe de soccer féminin.

— Peut-être pas le soccer, dis-je. Je n'aime pas vraiment les sports d'équipe. Mais j'aime beaucoup de choses, comme la randonnée, le vélo, le plein air. J'aime les animaux et les sciences, surtout l'astronomie.

Je me sens un peu ridicule en disant ça, mais Julien répond avec enthousiasme :

— L'astronomie? C'est super! Il y a un club d'astronomie à l'école. Ils font du camping pour aller observer les étoiles. Leur expédition d'automne est très attendue, même par ceux qui ne font pas partie du club. Presque tout le monde y va.

— *Vraiment?* dis-je, ravie.

Il y a un club de sciences à mon école d'Austin, et on y parle parfois d'astronomie. On a déjà fait une sortie au planétarium, mais les élèves intéressés par l'astronomie ne sont pas assez nombreux pour créer un club.

— Oui, poursuit Julien. L'observation des étoiles est fascinante par ici. Tu peux aller dans le parc national *Glacier* et apporter un télescope. Tu peux même voir beaucoup d'étoiles ici, à côté de la maison.

— C'est formidable!

— D'où vient ton intérêt pour l'astronomie? demande-t-il, curieux. Est-ce l'aspect scientifique ou plein air qui t'intéresse le plus?

— Les deux, je crois. Mon père a acheté un télescope quand j'avais six ans, et on s'en servait beaucoup, tous les deux. Il m'a fait découvrir toutes les constellations.

— Génial, dit Julien.

Je souris en me remémorant ces sorties avec mon père.

— Oui. Chaque été, il y a une pluie de météores, les Perséides. Mon père me réveillait toujours au milieu de la nuit pour la voir. On prenait un thermos de chocolat chaud et on allait s'asseoir sur le toit pour voir les étoiles filantes. On le fait encore, même s'il vit à Miami. J'essaie d'être là-bas au bon moment.

— Ça doit être agréable, dit Julien.

— Oui.

Je m'ennuie de mon père, maintenant qu'il vit à Miami. J'aime bien passer du temps avec lui durant les vacances, mais ce n'est pas la même chose que de le voir tous les jours.

On ne dit rien durant un moment. Julien regarde autour de lui, la jambe toujours agitée.

— Sais-tu monter à cheval? demande-t-il soudain.

Je chasse mes pensées nostalgiques et répond d'un air désolé :

— Pas vraiment. J'ai seulement monté le poney de mon amie une ou deux fois quand j'avais huit ans. Mais j'aimerais bien apprendre.

— Tu vas adorer ça, dit-il. Moi, j'adore ça! Je guide toujours les clients sur les sentiers. Si tu veux, on ira ensemble. Si tu aimes les animaux et la randonnée, tu apprendras vite. Nos chevaux sont très dociles.

— Je ne pense pas que ce soit une bonne idée que Marisol parte en balade sans un adulte, intervient ma mère. Elle ne sait pas encore monter. On pourra peut-être y aller tous ensemble.

Je n'avais pas remarqué que nos mères écoutaient

notre conversation.

— Julien est un excellent instructeur, dit Michelle d'un ton sans réplique. Tout se passera bien.

Ma mère serre les lèvres sans rien dire. Elle me jette un regard qui signifie : *On en discutera plus tard.* Je fais semblant de ne pas comprendre. Si Julien guide réellement les touristes à cheval, je ne pense pas que ma mère ait des raisons de s'inquiéter.

Une sonnerie retentit, nous avertissant que le pain est prêt. Au même moment, Martin entre avec un plateau dans les mains.

— Les brochettes et les steaks sont prêts, annonce-t-il. Marisol, irais-tu avertir Héléna que le repas est servi?

Je regarde autour de moi. Ma mère met la table pendant que Michelle verse du lait et de l'eau dans de grands verres.

— Héléna est d'humeur maussade, ces jours-ci, dit Michelle à ma mère. Et elle est très timide. Que veux-tu, c'est l'adolescence! J'essaie de ne pas la brusquer.

— Hum, marmonne ma mère en guise de réponse.

Julien est en train de sortir le pain du four. Il lève les yeux au ciel et lance :

— Quand quelque chose leur déplaît, les parents mettent toujours ça sur le compte de notre âge! La chambre d'Héléna est en haut, Marisol. C'est la porte avec un heurtoir en forme de loup.

— Merci, dis-je en me dirigeant vers l'escalier.

Le couloir est sombre. Un filet de lumière filtre sous la porte d'Héléna. J'hésite, puis je frappe.

On n'entend pas un son derrière la porte. Est-elle là? Devrais-je frapper à nouveau? Je me sens idiote à rester plantée là dans l'obscurité. Peut-être qu'elle a des écouteurs sur les oreilles ou qu'elle est dans la salle de bain. J'attends un moment, puis je lève la main pour frapper une nouvelle fois.

La porte s'ouvre brusquement.

— Quoi? demande Héléna.

Je regarde derrière elle et reste bouche bée. Je ne peux dire de quelle couleur sont ses murs, car ils sont couverts de photos d'animaux, du plancher jusqu'au plafond. Des affiches, des photos imprimées de sites web, des images découpées dans des magazines. Des lionceaux qui jouent. Un raton laveur accroché à une branche. Des chevaux qui galopent dans les dunes. Des centaines d'animaux différents qui jouent, chassent, mangent et se prélassent au soleil. La plus grande affiche montre une file de loups sur la crête d'une colline. Leur regard d'ambre est calme et attentif. Debout dans le couloir obscur, j'ai l'impression que la porte vient de s'ouvrir sur un paysage sauvage.

— Quoi? répète Héléna. Hé, ma chambre est un lieu *privé*.

Elle sort et referme la porte derrière elle.

Je me rends compte que mon regard fixe est impoli.

— Oh, désolée... Dis donc, c'est un vrai zoo, là-dedans!

Héléna incline la tête.

— Ouais... J'aime beaucoup les animaux, dit-elle doucement. Mais je n'aime pas les zoos. Les animaux sauvages devraient être libres.

— Hum, je comprends ce que tu veux dire.

Puis il semble que ni l'une ni l'autre n'ait quelque chose à ajouter. Alors, je finis par dire :

— Le souper est prêt.

Elle me suit dans le couloir si silencieusement que je me retourne presque pour vérifier qu'elle est derrière moi. Je voudrais qu'elle *dise* quelque chose. Elle est tellement sérieuse qu'elle me met mal à l'aise.

Je suis affamée quand je prends place à table. Julien dépose une assiette devant moi d'un geste théâtral.

— Hé, ça a l'air très bon! dis-je en commençant à manger.

Les légumes sont chauds, juteux et assaisonnés d'herbes.

— Ce steak est parfait, Martin et Julien! s'exclame ma mère, à l'autre bout de la table. Absolument délicieux.

— Le pain n'est pas très réussi, dit Julien en regardant le panier plein de tranches noircies. Il est plutôt calciné.

Il semble triste. J'avance la main pour prendre une tranche de pain.

— Je suis certaine que ce sera très bon avec un peu de beurre, dis-je joyeusement.

J'en étale sur le pain et prend une grosse bouchée. C'est étonnamment bon.

— Les parties non calcinées sont excellentes, dis-je en mâchant.

Julien éclate de rire.

Plus tard dans la soirée, Héléna me montre ma chambre, voisine de la sienne.

Je lui souris :

— Le souper était délicieux. Julien est un bon cuisinier.

— Oui, répond-elle en haussant les épaules.

— Je crois que je ne mourrai pas de faim, finalement, dis-je en plaisantant. Peut-être que je pourrai apprendre à Julien à faire des sushis.

Héléna émet un drôle de son, puis me tourne le

dos pour entrer dans sa chambre.

Je la suis des yeux. Est-ce qu'elle vient de *grogner*?

Chapitre quatre

Le lendemain matin, je me réveille tôt. Je reste étendue un moment, m'efforçant de rester calme. J'inspire profondément, puis expire lentement en regardant le plafond. C'est ma première journée à l'école de Wolf Valley. Je suis terrifiée. Et si tout le monde me détestait?

Ce n'est que pour trois mois, me dis-je.

Trois mois me semblent *bien* plus longs que lorsque j'ai accepté de faire ce voyage.

Au moins, il y a Julien, me dis-je finalement en m'assoyant. Avoir déjà un ami va me sauver la vie. Sans lui, j'aurais tenté de convaincre ma mère de me laisser dormir toute la journée.

C'est bizarre. En une seule soirée, ma panique à l'idée de vivre avec un garçon s'est volatilisée, faisant place au bonheur d'avoir un ami. Julien est gentil, drôle, détendu. Il sait me mettre à l'aise. Et il est beau. Mais je chasse cette idée. Tomber amoureuse du garçon avec qui je vis compliquerait bien trop les choses.

Je me secoue. Je suis Marisol Perez! Je n'ai *peur de rien!*

Ou presque.

Je me lève d'un bond et me dirige vers la douche. Ma douche personnelle, ce qui est un énorme avantage pour moi, qui ai dû partager une salle de bain toute ma vie avec ma mère. L'un des plus grands atouts de séjourner dans un gîte touristique durant la basse saison, c'est qu'on a le choix entre un grand nombre de chambres, chacune pourvue de sa propre salle de bain. La mienne ressemble à une chambre d'hôtel chic, avec son couvre-lit et son papier peint fleuris, et des lampes assorties de chaque côté du lit double. Il y a également un petit bureau avec des brochures et des livres sur la région : *Les oiseaux du Montana*, *Randonnée sur les glaciers* et *Les loups de Wolf Valley.* Le décor n'est pas celui que j'aurais choisi, mais la chambre est confortable, et rien qu'à moi.

Une demi-heure plus tard, je suis lavée, mes cheveux sont coiffés, je porte du brillant à lèvres (le seul maquillage permis par ma mère), ainsi qu'un jean et un chandail bleu. Je suis prête. J'essaie d'envoyer un texto à Talia pour qu'elle me souhaite bonne chance, mais mon téléphone cellulaire ne reçoit aucun signal.

Je vais dans la cuisine. Michelle et ma mère boivent un café, Julien et Héléna mangent des céréales. Je m'assois en face d'eux et leur adresse un sourire incertain.

— Ça fait bizarre de commencer l'école avec un mois de retard! dis-je d'un ton nerveux.

— Ne t'inquiète pas, dit Julien, la bouche pleine de céréales.

Il avale, puis reprend :

— En ce moment, tout le monde en a assez de voir les mêmes têtes tous les jours. Ils seront contents de voir arriver quelqu'un de nouveau. Tu seras une vraie célébrité!

Héléna s'est fait une tresse, ce qui lui donne une allure plus sympathique que la veille. À mon grand étonnement, elle me sourit et dit doucement :

— Tout ira bien, tu verras.

Peut-être qu'elle est timide, me dis-je.

Je lui souris et réponds :

— Oui. Après tout, qu'est-ce que ça peut me faire ce que les gens du coin pensent de moi?

Dailleurs, je ne vais pas vivre ici assez longtemps

pour que cela ait de l'importance, du moins c'est ce que je me dis.

Le sourire d'Héléna s'évanouit subitement et elle se lève.

— Il faut partir si on ne veut pas rater l'autobus, dit-elle d'une voix éteinte.

Sans me regarder, elle embrasse sa mère pour lui dire au revoir.

En sortant de la maison, je chuchote à Julien :

— Qu'est-ce que j'ai fait?

— Ne t'en fais pas, chuchote-t-il à son tour. Héléna est toujours de mauvaise humeur. Elle préfère les animaux aux êtres humains.

Pendant que nous attendons l'autobus au bout de l'allée, Julien s'approche de sa sœur et lui parle à voix basse. Elle me jette un coup d'œil. Je m'éloigne et regarde ailleurs. Ils parlent de moi, c'est évident.

Quand le gros autobus jaune apparaît, je suis si mal à l'aise que je suis soulagée de le voir arriver.

Puis je monte les marches, et là une foule de visages étrangers me fixe du regard. *Je n'ai peur de rien*, me dis-je en prenant un air nonchalant et en me précipitant sur le siège vide derrière le chauffeur. Je pensais que Julien s'assoirait près de moi, mais il passe sans s'arrêter et va rejoindre des garçons à l'arrière. Héléna m'adresse un petit sourire forcé, puis continue elle aussi, pour aller se mettre seule deux rangées derrière moi.

Je ne sais pas comment ça va se passer dans cette nouvelle école, mais on dirait que je ne suis pas très populaire auprès des gens chez qui j'habite.

Mon école à Austin est un édifice moderne d'un étage, avec des couleurs vives et plein de fenêtres. Ici, c'est un vieux bâtiment de brique tout en hauteur, avec un escalier qui mène à deux portes principales. L'une porte l'inscription *filles* et l'autre *garçons.* Je saisis le bras d'Héléna quand elle passe à côté de moi en faisant mine de m'ignorer.

Elle sursaute comme si je lui avais fait peur.

— Quoi? demande-t-elle sans lever les yeux.

— Est-ce que je dois entrer par la porte des filles ou est-ce que ça n'a pas d'importance?

— Ça n'a pas d'importance. Viens, je vais t'amener au bureau, ajoute-t-elle d'une voix douce.

Après avoir reçu mon horaire, je passe le reste de la matinée dans une sorte de brouillard. L'école est plus grande que ce à quoi je m'attendais. Les élèves viennent en autobus de partout dans le comté. Je n'arrête pas de me perdre dans les couloirs.

Julien est dans ma classe-foyer et mon cours d'anglais. Il me présente à une foule d'élèves dont j'oublie aussitôt le nom. Héléna est dans ma classe de maths et me fait un petit signe de l'autre côté de la pièce. Puis elle baisse la tête et dessine dans son cahier pour le reste de la période.

Pendant l'heure d'études, je suis seule à une table ronde dans la bibliothèque. Autour de moi, les jeunes chuchotent et échangent des livres en riant doucement. Je ne me sens pas du tout à ma place. J'observe une fille avec une longue tresse couleur miel qui plie un message en forme de fleur et le tend à son amie. J'ai envie de pleurer.

— Dix minutes seulement sur les ordinateurs, dit l'enseignante en tapant des mains. Laissez la place aux autres!

Je me lève d'un bond, faisant presque tomber mon sac à dos de la table, et m'empare d'un des ordinateurs libres.

En ouvrant mon courrier électronique, je vois que j'ai reçu une tonne de messages de mes amies d'Austin. Il y a des courriels de Talia, d'Amanda et d'Estelle, avec qui je mangeais le midi, et de Karine, qui était dans ma classe de maths. Elles disent toutes la même chose : *Tu nous manques, on t'aime, on espère que tu t'amuses.* Elles me racontent les derniers potins : qui est amoureux de qui, qui a été puni par ses parents, et qui a dit quoi à un prof.

Les lire me donne du courage. Ce n'est pas grave si je n'ai pas d'amis ici. J'en ai là-bas, dans ma vraie vie.

Et si les gens m'aimaient à Austin, quelqu'un va probablement m'aimer ici aussi.

Je réponds rapidement à Talia, car mes dix minutes sont presque écoulées.

À : diva12@netmail.com
De : étoile1013@netmail.com

Salut Talia,
Le Montana est super! Devine ce que ma mère avait oublié de me dire : son amie a deux enfants de mon âge!
Ils sont gentils, surtout Julien (un GARS! Aïe!).
Mon cellulaire ne fonctionne pas ici.
Tu me manques! À bientôt!
xoxo

Après avoir envoyé mon courriel, je me sens mieux. Mais à l'heure du dîner, je me sens de nouveau seule. C'est *pénible* d'être la nouvelle. Personne n'est méchant avec moi, tout le monde est plutôt amical, mais ils se connaissent tous et discutent entre eux. Après m'avoir dit bonjour poliment, ils m'ignorent. Je m'ennuie de Talia et de mes autres amies. Et de mon école, où je connaissais tout le monde au lieu de constamment rencontrer des gens pour la première fois.

L'heure du midi, ce n'est pas évident quand on n'a pas d'amis, parce qu'il n'y a pas de siège désigné dans la cafétéria. Et si personne ne te parle, tu ne peux pas te contenter d'écouter le prof, parce qu'il n'y a pas de prof.

À Austin, on pouvait manger dehors sur le terrain de l'école, mais ici, tout le monde mange dans la cafétéria. Je redresse les épaules et me répète que *je n'ai peur de rien*, sans trop y croire.

En entrant dans la cafétéria, j'ai l'impression d'être submergée par un énorme bourdonnement de conversations entre inconnus. Je vois une foule de chaises qui semblent toutes occupées. J'ai envie de tourner les talons et de ressortir.

Puis j'aperçois une fille qui me sourit en désignant une place libre à côté d'elle. Son visage me semble familier. C'est l'une des élèves à qui Julien m'a présentée (merci, Julien!), mais je ne me souviens plus de son nom. Elle a l'air athlétique, avec un visage souriant et des cheveux brun foncé attachés en queue de cheval.

— Salut! lance-t-elle. Tu es Marisol, n'est-ce pas?

Viens t'asseoir avec nous.

— Merci, dis-je en m'assoyant.

Il y a un petit moment de silence. Je jette un coup d'œil autour de la table. La fille et ses amies me dévisagent. L'une d'elles a des cheveux roux, courts et frisés, et de grands yeux bleus. L'autre est la fille aux cheveux longs que j'ai vue plier un papier en forme de fleur à la bibliothèque.

— Je suis désolée, leur dis-je. Je sais que je vous ai rencontrées, mais je ne me souviens plus de vos noms. Cette journée est un vrai brouillard.

Elles me sourient.

— Je m'appelle Andréa, dit la fille athlétique. Là, c'est Béatrice.

La fille rousse sourit et me fait un signe de la main.

— Et voici Léa, ajoute Andréa.

La fille aux longs cheveux hoche la tête.

— La matinée a dû te paraître longue! dit Béatrice en sautillant avec enthousiasme sur sa chaise. Ça doit être *horrible* de commencer si tard et de ne connaître personne! On a eu pitié de toi, alors on s'est dit que tu avais bien besoin d'une place où t'asseoir.

— Béatrice! proteste Andréa en riant. Ne lui dis pas ça!

— Je ne voulais pas te faire de peine, dit Béatrice d'un ton anxieux. Je ne t'ai pas blessée, j'espère?

— Bien sûr que non, dis-je.

Je sors mon sac en papier et déballe mon repas : un sandwich au beurre d'arachides, une tangerine et des biscuits. Les autres filles ont des hamburgers sur des plateaux de la cafétéria.

Béatrice rigole.

— Personne n'apporte son repas ici, sauf ceux qui sont bizarres ou qui ont des problèmes alimentaires. La bouffe de la cafétéria n'est pas *si* mauvaise que ça!

— *Béatrice!* s'écrie Andréa.

De toute évidence, c'est elle qui mène. Léa se contente de nous regarder manger.

— Excuse-moi, dit Béatrice. Je ne dis pas que tu es bizarre. Je voulais juste que tu saches comment ça se passe dans notre école.

— Hum, fais-je en examinant mon sandwich.

Est-ce que les gens vont vraiment me trouver bizarre si je ne mange pas la nourriture de la cafétéria?

— Je suis végétarienne, alors je dois apporter mon repas.

— Oh, dit Béatrice. Mon père me tuerait si j'arrêtais de manger de la viande. Il élève du bétail.

Andréa me sourit.

— J'aime les légumes. Léa est une vraie carnivore, par contre.

Léa hoche la tête d'un air sérieux.

— J'aime beaucoup la viande.

— Ça ne me dérange pas que les autres en mangent, dis-je. C'est seulement que je n'aime pas ça.

Elles changent de sujet. On parle d'Austin, de ce que les jeunes du coin font pour se divertir, de séries télévisées, et de gens que je ne connais pas encore, mais sur qui j'apprends plein de potins.

— Tu es vraiment chanceuse de vivre avec Julien Melrose! dit Béatrice. Il est tellement beau! Je me suis inscrite au club de cuisine pour pouvoir l'admirer. C'est ridicule parce que j'arrive à peine à faire bouillir de l'eau!

— Hum, dis-je d'un air évasif. Julien est gentil. Faites-vous toutes partie du club de cuisine?

— Seulement Béatrice, dit Andréa. Je n'ai pas le temps avec l'équipe de hockey sur gazon et celle de volley-ball. Sans compter le conseil étudiant, qui comporte beaucoup de responsabilités. Léa préfère les sciences. Elle fait partie des clubs d'astronomie et d'écologie.

Léa sursaute quand je m'écrie :

— *Vraiment?* Je veux absolument faire partie du club d'astronomie! J'étais tellement contente d'apprendre qu'il y en avait un!

— Oh, dit Léa d'un air pensif avant de me sourire. Il y a une réunion après l'école aujourd'hui. On se retrouve tous les lundis. Tu devrais venir.

Quand la cloche sonne, je me sens beaucoup mieux qu'à mon arrivée à la cafétéria. J'ai trois nouvelles amies, je vais faire partie d'un club et j'ai vaincu les angoisses de la période du midi. Vraiment, je n'ai peur de rien.

Chapitre cinq

Après les cours, j'appelle ma mère du téléphone payant à côté du bureau. Mon téléphone cellulaire ne fonctionne pas non plus à l'école. Avec les montagnes qui entourent la ville, je me dis que je ferais aussi bien de l'oublier. Je demande à ma mère si je peux assister à la réunion du club d'astronomie, elle hésite et me dit :

— Marisol, je suis contente que tu aies trouvé une activité qui te plaît, mais je n'ai toujours pas loué de voiture. Michelle et Martin sont déjà assez généreux de nous accueillir chez eux, je ne veux pas leur demander d'aller te chercher à l'école en plus.

Heureusement, j'ai parlé à Julien durant le cours d'études sociales. Il va rester après l'école pour son club de cuisine, lui aussi. Il m'a dit qu'il y a un autobus spécial après les activités qui nous déposera à la maison.

J'explique à ma mère que je n'ai pas besoin qu'on vienne me chercher. Une fois rassurée, elle est très heureuse que cette école ait un club d'astronomie.

— Tu vois? dit-elle. Je savais que tout se passerait bien!

— Oui, oui, maman! dis-je en riant. Mais ce n'est que la première journée!

Toutefois, je suis heureuse, moi aussi.

Ma timidité revient quand j'arrive au local 204, où ont lieu les réunions du club d'astronomie. Il y a une quinzaine d'élèves dans la classe. Je ne reconnais que Léa. Elle est assise à un bureau et feuillette un cahier. Un enseignant se tient au fond du local. Tête baissée, il corrige des travaux et ne semble pas prêt à commencer la réunion.

— Hé, c'est la nouvelle! s'exclame un garçon près de la porte en me dévisageant. Entre donc!

Il me sourit, révélant ses broches où sont coincés des bouts de nourriture verte.

— On est prêts pour du sang neuf! Ouah-ha-ha! ajoute-t-il en mettant son bras devant sa bouche pour imiter un vampire.

Léa lève les yeux.

— Tais-toi, Arthur! lui lance-t-elle. Bonjour, Marisol!

Viens t'asseoir ici.

Le garçon aux broches l'imite :

— Tais-toi, Arthur, tais-toi, Arthur! Quand Arthur aura-t-il donc droit à un peu d'amour?

Mais il cesse de m'importuner.

Je m'assois à un pupitre à côté de Léa.

— Merci, lui dis-je, soulagée.

— Pas de problème, réplique-t-elle en souriant. On va bientôt commencer. Je suis la présidente, alors je vais t'expliquer comment ça se déroule.

Je jette un coup d'œil à l'enseignant.

— Oh, dit Léa. M. Samuel est ici parce qu'il doit y avoir un enseignant responsable. Il ne s'intéresse pas à l'astronomie. On dirige le club nous-mêmes.

Elle pose une feuille sur mon pupitre. Je baisse les yeux et lis :

La structure de l'espace

L'univers en expansion ou l'état stationnaire

L'exploration de l'espace

Les éclipses

Les types d'étoiles/Le cycle de vie d'une étoile

Les comètes

— Ce sont des suggestions de thèmes, explique Léa. Chaque semaine, quelqu'un fait un exposé. Si tu as envie de parler d'un sujet qui n'est pas sur la liste, pas de problème, du moment que ça concerne l'astronomie. Quelqu'un a déjà voulu faire un exposé sur les signes astrologiques et l'amour, ce qui n'est pas du tout la même chose!

Elle rit, puis me donne une deuxième feuille avec une autre liste de sujets, chacun accompagné du nom d'un élève. Aujourd'hui, une fille appelée Bianca Thompson va parler des trous noirs.

— Ça alors, vous êtes vraiment bien organisés!

Je suis étonnée. Léa était plutôt réservée, ce midi. Elle faisait tout avec lenteur, même sourire. Je ne l'imaginais pas en train de diriger un groupe. Le club de sciences d'Austin était dirigé par un enseignant, pas par les élèves.

Léa met ses papiers en ordre. Je remarque une petite tache de naissance dorée en forme de croissant de lune sur son bras. C'est une marque inhabituelle, plutôt jolie. La forme est si parfaite pour la présidente d'un club d'astronomie que j'ai envie de dire : « Avec cette tache de naissance, tu n'auras jamais besoin de tatouage! » Heureusement, je me mords la langue à la dernière minute. Elle ne trouverait peut-être pas cela drôle. Et la dernière chose que je veux, c'est que quelqu'un d'autre me trouve bizarre (apparemment, c'est déjà le cas d'Héléna!).

— Je vais m'occuper des comètes, lui dis-je. Laisse-moi

quelques semaines.

Je n'ai pas très envie de parler devant un groupe d'inconnus, mais je m'en inquiéterai plus tard.

Elle inscrit mon nom pour le mois de novembre, puis se lève et balaie la classe du regard.

— Attention, tout le monde!

Les élèves cessent de parler et se tournent vers elle.

— Bianca? C'est à toi! Bianca va nous parler des trous noirs!

Une fille mince aux boucles noires emmêlées va à l'avant de la pièce et se dandine nerveusement d'un pied sur l'autre.

— Hum... Heu, les trous noirs sont des endroits où la gravité est tellement forte que rien ne peut s'échapper, pas même la lumière.

À mesure qu'elle poursuit, elle se détend et prend de l'assurance. Elle connaît bien son sujet. Elle a même apporté des illustrations du site web du télescope spatial Hubble.

Le plus incroyable, c'est que tout le monde semble intéressé. Personne ne chuchote, ne s'endort ou n'échange de messages. Tous les élèves écoutent et lèvent la main pour poser des questions. À Austin, les membres du club de sciences auraient probablement été *intéressés*, mais l'un d'eux aurait sûrement somnolé et d'autres se seraient passé des petits mots. Ce n'est pas facile d'être attentif après une longue journée d'école.

Comme mon père et moi avons étudié l'astronomie ensemble, ce sujet a toujours été spécial pour moi, même quand j'étais petite. Mes amis du club de sciences d'Austin aiment les sciences, et quelques-uns apprécient l'astronomie, mais pas autant que moi.

Je ressens un frisson d'excitation. Ici, dans le Montana, je suis tombée dans une espèce d'univers parallèle, où tout le monde est aussi passionné que moi!

Quand Bianca a fini de parler, tout le monde applaudit.

— C'était super! dit Léa en se levant. Merci, Bianca. La semaine prochaine, Thomas nous parlera des exoplanètes.

Elle rassemble des papiers sur son pupitre, puis reprend :

— Bon, maintenant, les annonces. Comme vous le savez, notre expédition au parc national *Glacier* est dans deux semaines. Si vos amis veulent se joindre à nous, ils le peuvent. C'est une sortie très amusante. Plus il y aura de monde, moins les coûts seront élevés. Comme c'est la pleine lune ce soir, on devrait avoir une lune gibbeuse croissante à ce moment-là. S'il ne pleut pas, ce sera parfait.

Maintenant que nous discutons d'une sortie et non de trous noirs, M. Samuel intervient :

— Si vous n'avez pas de formulaire d'autorisation, venez me voir. Personne ne peut participer sans la signature de ses parents. Et n'oubliez pas : seuls les élèves de cette école peuvent s'inscrire. Pas de copains de l'extérieur.

Tout le monde commence à rassembler ses affaires. Je m'empresse d'aller voir M. Samuel pour prendre le formulaire. Quand je sors de la classe, je vois que Léa m'a attendue.

— Alors, comment as-tu trouvé la réunion?

— C'était génial, dis-je avec enthousiasme. Je vais devoir me renseigner à fond sur les comètes si je veux faire mon exposé sans me couvrir de ridicule.

— Prends-tu l'autobus? demande-t-elle en soulevant son sac à dos rose.

— Oui, et toi?

— Aussi. On ferait mieux de se dépêcher.

Je suis ravie. Au début de la journée, je ne connaissais que Julien et Héléna. Et maintenant, je marche dans le couloir avec une nouvelle amie après une réunion, comme si j'avais toujours fréquenté cette école.

— Parle-moi de la sortie de camping, lui dis-je en

marchant rapidement.

— C'est merveilleux! répond-elle, les yeux brillants. On part pour une fin de semaine dans le parc national *Glacier.* On apporte des télescopes et on observe les constellations, la lune, Jupiter, Vénus... tout ce qui est visible. L'an dernier, on a aussi lu des mythes sur les étoiles et la lune. Quelques enseignants nous accompagnent, on fait griller des guimauves, on dort sous la tente... Je suis certaine que Julien et ses amis sont déjà inscrits, tout comme Andréa et Béatrice. Tu devrais venir.

— C'est certain! Enfin, si ma mère dit oui, mais je ne vois pas pourquoi elle refuserait.

Le garçon maigrichon avec des broches nous rattrape.

— J'ai tellement hâte d'être à cette sortie! dit-il. J'ai préparé une bonne histoire de fantômes. Les jeunes de sixième année en claqueront des dents!

Léa pousse un soupir.

— Excuse-moi, Arthur, mais on était en pleine conversation.

Étonnamment, il cesse de parler.

Léa se tourne vers moi :

— As-tu un télescope? On essaie d'en apporter le plus possible pour que tout le monde puisse les utiliser.

— Oui, j'en ai un, dís-je. Ça me fera plaisir de l'apporter.

J'ai traîné mon télescope dans l'avion, même si ma mère pensait que j'aurais dû le laisser à la maison. J'ajoute :

— Je n'avais pas réalisé qu'il y avait une pleine lune ce soir jusqu'à ce que tu le mentionnes. Je vais peut-être installer mon télescope dehors. Je n'ai pas encore eu l'occasion de l'utiliser ici. Les étoiles sont encore plus visibles qu'à Austin.

Léa fronce les sourcils.

— Heu, ce n'est pas une bonne idée de sortir seule le soir à Wolf Valley, dit-elle. Surtout à la pleine lune.

J'arrête de marcher.

— Pourquoi donc?

Arthur éclate de rire et s'approche de moi, les mains recourbées comme des pattes griffues.

— À cause des *loups-garous*, grogne-t-il d'un air menaçant.

Chapitre six

— Des loups-garous? dis-je d'un ton hésitant en les regardant tour à tour.

C'est sûrement une blague, mais je ne la comprends pas.

Léa lève les yeux au ciel.

— Les loups-garous n'existent pas, Arthur, dit-elle d'un ton catégorique.

— C'est ce que tu crois, répond-il en souriant. Tout le monde sait qu'il y a des loups-garous à Wolf Valley. D'où vient le nom de cette ville, d'après toi?

— Heu, des loups? réplique Léa.

— Ouais, des loups exceptionnellement intelligents, dit-il en se tournant vers moi. Les chasseurs ont le droit de tuer des loups par ici, mais seulement durant la saison de la chasse. Et ils ne peuvent en tuer que soixante-quinze dans tout l'État.

— Ouache, dis-je. Je déteste la chasse.

— Toute l'année, poursuit-il, les gens voient des loups énormes dans la région. Surtout la nuit, et surtout les soirs de pleine lune. Alors, les chasseurs viennent ici durant la saison de chasse, et certains obtiennent des permis pour la chasse aux loups. Mais *personne n'en a jamais tué un seul.* Les loups disparaissent. Puis, quand la saison est terminée, ils reviennent. Trouves-tu ça normal? Est-ce que les *loups* ordinaires savent lire un calendrier?

Je jette un regard sceptique à Léa. Est-ce qu'il raconte des bobards?

— C'est une coïncidence, dit-elle en haussant les épaules. Arthur exagère le nombre de fois où les gens ont vu des loups dans la région. On les entend, mais on les voit rarement. Des étudiants de l'université viennent régulièrement camper par ici pour voir des loups pendant la période la plus propice, et je crois qu'ils n'en ont jamais aperçu un seul. Un quota de chasse de soixante-quinze loups dans tout l'État par saison veut dire que, statistiquement, il serait surprenant pour un chasseur d'en tuer un seul.

— Vraiment? riposte Arthur. D'où viennent toutes les histoires de loups-garous de Wolf Valley, alors? Mon grand-père m'a dit que sa propre grand-mère avait vu un gros loup recevoir une balle dans une patte. Et le lendemain, *son voisin boitait.*

Léa et moi le toisons, avant de nous regarder en éclatant de rire.

— Arthur, dit-elle entre deux gloussements, c'est l'histoire la plus ridicule que j'aie jamais entendue!

Nous rions toujours en montant dans l'autobus. Je m'assois avec Léa, et Arthur se laisse tomber sur le siège derrière nous. Julien est à l'arrière avec d'autres garçons. Il me fait un petit signe.

— Arrêtez de vous moquer de moi, grogne Arthur. Il y a plein d'autres histoires de gens qui ont vu des loups-garous. Si on trouve quelqu'un qui présente des signes de loup-garou, on devrait l'observer durant la pleine lune.

— Quels signes? lui dis-je.

Il se redresse, apparemment heureux d'avoir éveillé mon intérêt.

— De longs annulaires. Des oreilles pointues. Des sourcils épais, énumère-t-il.

— *Peuh!* fait Léa. Je t'en prie! N'importe qui peut avoir ça! Regarde, *j'ai* les oreilles pointues!

Elle ramène ses cheveux en arrière pour découvrir ses oreilles, qui sont effectivement un peu pointues.

— Et je ne suis pas un loup-garou! poursuit-elle. En plus, mes annulaires sont longs!

Je regarde ses mains. Ses doigts ne me paraissent pas si longs que ça.

— Heu, fait Arthur en grimaçant. Les sourcils sont le signe le plus communément accepté.

— Peut-être que je les épile... Après tout, tu ne peux pas le savoir, dit Léa avec un sourire en coin, avant de se tourner vers moi. Marisol, même si les loups-garous n'existent pas, il y a des meutes de loups dans la région. Les gens restent à l'intérieur le soir. Alors, ne va pas te promener la nuit à moins d'être avec un groupe, d'accord?

Je hoche la tête. Je frissonne en me rappelant le malaise que j'avais éprouvé en me retrouvant seule dehors, à mon arrivée ici.

L'autobus nous dépose au bout de l'allée. Je devance Julien d'un pas rapide et nerveux. Il est plus de 4 h. Dans quelques semaines, il fera noir à cette heure-ci. Maintenant que je sais que la forêt grouille de loups, je n'ai pas hâte de faire ce trajet dans l'obscurité. Je suis heureuse de ne pas être seule, mais je doute que Julien puisse me protéger d'une meute de loups.

— Ça va? demande Julien en me rattrapant au pas de course. Comment s'est passée ta réunion?

— Très bien, dis-je en accélérant le pas. Rentrons!

Je sens un fourmillement dans ma nuque, comme

si quelqu'un m'observait. Je me retourne pour scruter les zones d'ombre entre les arbres qui bordent l'allée. Est-ce que ce sont des yeux (de loup? de loup-garou?) qui luisent là-bas? Je frissonne et prends le bras de Julien. Je l'entraîne pour franchir les derniers mètres qui nous séparent de la porte.

Héléna est en train de faire ses devoirs dans la cuisine quand nous entrons.

— Qu'est-ce que tu as? demande Julien en dégageant son bras, mi-amusé, mi-agacé.

— Désolée, je suis un peu nerveuse, lui dis-je. Savais-tu qu'il y a des loups, par ici?

Julien sourit et désigne Héléna du menton.

— Tu devrais demander à la spécialiste de la faune!

Héléna croise les bras sur sa poitrine. Je pense aux murs de sa chambre, couverts de photos d'animaux. Mais elle ne semble pas désireuse de me donner des informations.

— Héléna, dis-je d'un ton extrêmement poli, peux-tu me parler des loups, s'il te plaît?

Elle hausse les épaules.

— Je ne sais pas ce que tu veux savoir, répond-elle à contrecœur. Il y a certainement une meute de loups par ici. Des gens les ont aperçus et ont vu leurs traces. On estime qu'il y a une quinzaine de loups. C'est donc une meute assez importante. Ils doivent couvrir un grand territoire, parce que personne ne sait où est leur tanière, et il peut s'écouler des mois entre leurs apparitions.

Je demande, avec une fascination morbide :

— Ont-ils déjà attaqué quelqu'un? Léa m'a conseillé de ne pas sortir seule avec mon télescope.

Héléna fronce les sourcils et réplique d'un ton sec :

— Les loups n'attaquent pas les gens. Sauf lorsqu'ils se sentent coincés ou sont affamés.

Julien fouille dans les placards de la cuisine et sort un sac de croustilles.

— Mais ils ont tué des animaux, ajoute-t-il. Des moutons et des vaches. Les propriétaires de ranchs les détestent.

— Personne n'a la preuve que c'étaient les loups! proteste Héléna. Ça aurait pu être des chiens errants.

Julien hausse les épaules sans mot dire.

Je demande d'un ton hésitant, de peur d'être ridicule :

— Heu, hum... Quelqu'un m'a aussi parlé de... de loups-garous?

— Qui? Arthur? demande Julien en riant.

Il rit de plus belle quand je hoche la tête.

— Il a toujours des théories abracadabrantes! On entend des histoires de loups-garous depuis des années, mais personne ne les prend au sérieux.

— Les loups-garous n'existent pas, ajoute Héléna.

Je voudrais lui dire que je suis d'accord, mais elle continue :

— C'est dommage. Les loups sont incroyables. Ils sont gracieux, courageux, fidèles... Ils ont beaucoup de qualités que les humains devraient avoir. Ce serait peut-être une bonne chose pour la race humaine si certaines personnes étaient des loups-garous.

Elle fronce les sourcils d'un air de défi, les yeux brillants. J'éprouve soudain un élan de sympathie envers elle. *Gracieux, courageux, fidèles*... Une fille aussi passionnée, qui tient tant à ces qualités, vaut sûrement la peine qu'on essaie d'être son amie.

Je prends une grande inspiration et plonge :

— Héléna? J'ai l'impression que les choses ont mal commencé, entre nous. J'ai peut-être dit ou fait quelque chose que tu n'as pas aimé, mais je ne sais pas quoi. Est-ce qu'on peut reprendre à zéro? J'aimerais qu'on soit amies.

Pendant une minute, elle reste immobile.

— Je ne sais pas de quoi tu veux parler, finit-elle par répondre en écarquillant ses grands yeux bleus.

Julien frappe la table du plat de la main, nous faisant sursauter.

— Héléna! dit-il sévèrement. Marisol fait un effort. Donne-lui une chance!

Je lui souris, mais il a les yeux fixés sur sa sœur.

Elle pousse un soupir, puis me regarde avec une expression adoucie :

— Écoute, Marisol. Tu as dit des choses plutôt prétentieuses, comme si tu nous méprisais parce qu'on vit à la campagne. Et j'étais déjà nerveuse à l'idée que tu viennes vivre ici. Alors, ça m'a blessée.

Elle tripote nerveusement le bord de son cahier.

Je suis abasourdie. Je m'écrie, d'une voix haut perchée :

— Quoi? Mais qu'est-ce que j'ai dit?

— Tu as dit que tu te fichais de ce que les gens d'ici pensent de toi. Tu t'es étonnée de ne pas pouvoir acheter de *sushis* en ville. Et tu étais surprise qu'on ait une camionnette au lieu d'une voiture *hybride*.

— Oh.

Honnêtement, je trouve qu'Héléna est trop susceptible. Mais je suis soulagée de savoir pourquoi elle était si froide envers moi. Ce n'est rien de grave. C'est juste un malentendu.

— Je suis désolée, Héléna. Je ne voulais pas te donner cette impression. J'aime vraiment cet endroit. Si j'ai dit que l'opinion des gens ne m'importait pas, c'est parce que je partirai bientôt. Ce n'est pas grave si personne ne m'aime, car je ne resterai pas. Mais je ne le pensais pas vraiment. Je veux que les gens m'aiment.

Je revois Héléna, assise toute seule dans la classe, et je rougis. Je crois qu'elle n'a pas beaucoup d'amis.

— Quant au reste, j'ai seulement dit des idioties. Ça m'arrive, parfois.

Héléna fixe son cahier, puis lève les yeux en souriant.

— D'accord. Excuse-moi, j'aurais dû être plus gentille avec toi.

C'est comme si elle venait d'enlever un énorme poids de mes épaules. Je n'avais pas réalisé à quel point ça me dérangeait de vivre avec quelqu'un qui ne m'aimait pas.

Julien lève les yeux au ciel.

— Bon, je suis content que cette question soit réglée. Avez-vous le devoir d'études sociales?

Mes sentiments chaleureux envers Héléna persistent toute la soirée. Après le souper, nous jouons à des jeux de société avec nos parents. Héléna est imbattable au Cranium.

Un peu plus tard, elle se montre nerveuse et distraite. Son genou tressaute, elle se tortille sur son siège, et n'arrête pas de manquer son tour.

— Qu'est-ce que tu as? lui demande Julien quand elle oublie de lancer les dés pour la troisième fois.

— Hum? fait-elle en pianotant sur la table, les yeux fixés sur la fenêtre.

Je me retourne. Il n'y a rien derrière la vitre, seulement l'obscurité.

— Bon, dit Julien en repoussant sa chaise. Si personne n'est concentré sur le jeu, je vais me coucher.

— Moi aussi, dit Héléna en se levant d'un bond.

Ils se dirigent vers l'escalier. Nos mères échangent un regard amusé.

— Je suis heureuse que les filles s'entendent mieux, dit ma mère d'un ton joyeux.

— Hé, je suis encore ici! leur dis-je.

Elles éclatent de rire.

Je vérifie mes courriels sur l'ordinateur du salon. Talia m'a répondu :

À : étoile1013@netmail.com

De : diva12@netmail.com

Deux enfants de notre âge! Un GARÇON! Tu as oublié le plus important : est-il beau? Est-elle gentille? Mais je suis encore ta meilleure amie, hein?

Je réponds :

À : diva12@netmail.com
De : étoile1013@netmail.com

Julien est un beau gars, mais j'ai l'intention de l'aimer comme un frère. Héléna est gentille, mais pas autant que toi. Je me suis fait quelques autres amies aujourd'hui. Je pense que j'aimerai le Montana (mais je préférerai toujours Austin!).

Je vais dire bonne nuit aux adultes, puis je monte me coucher.

Je suis à mi-chemin dans le couloir, devant la porte d'Héléna, quand j'entends :

Ahou-ou-ou-ou-ou!

Mon cœur s'emballe. Était-ce un loup? Le cri recommence. Un frisson me parcourt la nuque.

Ahou-ou-ou-ou-ou!

Heureusement que je ne suis pas dehors avec mon télescope, me dis-je.

C'est incroyable. Ce cri semble si sauvage et solitaire. D'après ce qu'elle a dit plus tôt, je sais qu'une seule personne serait emballée par ce son. Je me demande si elle l'a entendu, elle aussi.

Je frappe à la porte d'Héléna.

Après un moment, je frappe de nouveau. Ça ne fait pas longtemps qu'elle est montée. Elle ne dort sûrement pas.

Je me souviens du soir de mon arrivée, quand j'attendais dans le noir devant sa porte. Elle m'a dit que sa chambre était privée, mais nous sommes amies, maintenant. Je tourne la poignée.

Les lumières sont éteintes et la fenêtre est ouverte. Une brise fraîche soulève les photos sur le mur. La pleine lune brille, illuminant suffisamment la pièce pour que je distingue la forme des meubles.

— Héléna? dis-je en faisant un pas à l'intérieur.

Elle est peut-être déjà endormie, après tout.

Mais son lit est vide. Elle n'était pas dans le couloir ou l'escalier, car je l'aurais croisée. À moins qu'elle ne soit dans ma chambre? Je cours dans le couloir pour aller vérifier. Elle n'y est pas.

Je me rappelle l'avoir vue regarder dehors toute la soirée. Puis je repense au fourmillement sur ma nuque dans l'allée, cet après-midi.

Le hurlement du loup retentit de nouveau dans la nuit froide.

Ahou-ou-ou-ou-ou!

Chapitre sept

Je ne sais pas quoi faire. Je voudrais avertir ma mère et les parents d'Héléna, leur crier qu'elle a disparu et qu'il y a des loups dehors, et les laisser régler le problème. Mais je commence à peine à être amie avec Héléna. Si elle est allée faire une razzia secrète à la cuisine, je ne voudrais pas lui créer de problèmes. En plus, j'aurais l'air d'une idiote qui panique pour rien.

Elle est probablement allée parler avec Julien avant de se coucher. Je m'accroche à cette idée comme à une bouée de sauvetage. C'est une hypothèse raisonnable, plausible et rassurante. C'est sûrement ça. Elle discute avec son frère.

Je laisse tout de même la porte de ma chambre ouverte pour l'entendre quand elle reviendra. Je m'assois dans le fauteuil fleuri, d'où je peux voir le couloir. On doit lire *The Giver* (*Le Passeur*), de Lois Lowry, pour le cours d'anglais. J'essaie de passer le temps en prenant de l'avance dans ma lecture, mais je n'arrive pas à me concentrer. Après quelques minutes, je me lève et fais les cent pas dans ma chambre.

Parmi les brochures sur le bureau se trouve un livre intitulé *Les loups de Wolf Valley.* Je ne l'ai pas encore ouvert. Je croyais que c'était un guide sur la faune, mais en l'examinant plus attentivement, je me rends compte qu'il est différent. Les guides sur la faune n'ont-ils pas des illustrations, habituellement?

— Bizarre, me dis-je.

Je l'ouvre et commence à lire :

Dans les premiers temps, les colons de Wolf Valley passaient des nuits inconfortables, hantées par les meutes de loups circulant dans les rues de leur nouveau village. Les enfants et le bétail étaient gardés à l'intérieur par crainte de ces bêtes voraces. Mais le pire était encore à venir, comme l'ont appris les colons horrifiés en écoutant les légendes des autochtones de la région... Des histoires de créatures mi-hommes mi-loups, qui arpentaient les montagnes et les bois de leur nouveau pays.

Ensuite, il est question de huit chasseurs, sortis un soir pour traquer les loups qui menaçaient leur village. Seuls trois d'entre eux sont revenus. Bientôt, le reste des habitants a remarqué d'étranges changements chez les trois hommes et leur famille. Ils sont devenus hostiles et méfiants envers leurs voisins. Ils avaient davantage de poils, leurs oreilles étaient plus pointues et ils mangeaient de la viande crue. (Pouah!)

Des rumeurs ont circulé sur ces familles, affirmant que leurs membres se transformaient en loups à la pleine lune. Des histoires comme celle du grand-père d'Arthur, où un loup recevait une balle et que le lendemain un humain était blessé. Certaines personnes prétendaient avoir vu des humains se transformer en loups dans les bois ou près des maisons.

Selon la légende, les chasseurs étaient victimes d'un sortilège jeté par les loups mythiques de la vallée. Ils s'étaient aventurés dans la nature, et la nature les avait métamorphosés. Le village vivait dans la crainte.

Un soir, quelqu'un a incendié les maisons des gens soupçonnés d'être des loups-garous. Selon l'auteur du livre, personne ne savait qui était le responsable, mais il était possible que tout le village ait été impliqué. Les trois familles ont disparu et on raconte qu'elles se sont réfugiées dans la nature.

On peut lire :

> Les trois familles n'ont plus jamais été revues, cependant beaucoup de loups rôdent toujours autour de Wolf Valley. Leur nombre s'accroît les soirs de pleine lune. Mais maintenant, nous savons que les loups-garous n'existent pas. Aucune créature surnaturelle ne rôde dans les bois de Wolf Valley... n'est-ce pas?

— Curieux, dis-je en marmonnant.

Je frissonne et jette un coup d'œil dehors, où brille la pleine lune. Elle me paraît soudain menaçante. Je me lève et vais baisser le store.

Il est tard quand je finis par me coucher, avec la certitude que je ne pourrai pas dormir. Je reste étendue un long moment à tendre l'oreille, mais pas un son ne provient de la chambre d'Héléna. Le loup semble s'être éloigné, car je ne l'entends plus hurler. J'ai l'impression d'attendre des heures, mais quand je m'endors enfin, Héléna n'est toujours pas revenue.

Je marche sur le même sentier que dans mon rêve précédent. Il fait plus froid, et le vent secoue les branches d'arbres, créant des ombres griffues au clair de lune.

La pleine lune luit à l'horizon, jaune et gonflée comme un fruit trop mûr. Les feuilles bruissent sous mes pieds.

C'est le même sentier, mais cette fois, je ne suis pas d'humeur joyeuse et aventurière. Je ne veux pas avancer, mais je ne peux pas m'arrêter ni rebrousser chemin. J'ai la gorge sèche de frayeur. Quelque chose va m'arriver. Quelque chose de différent. Quelque chose d'horrible.

J'entends un craquement de branches sèches dans le sous-bois. Soudain, une forme sale, couverte d'égratignures, apparaît sur le sentier devant moi. Elle tombe à quatre pattes, ses longs cheveux blonds cachant sa figure. Quand elle se relève, je vois qu'il s'agit d'Héléna. Elle halète, puis retombe à genoux. Je voudrais m'approcher, mais je suis paralysée. Elle se tord de douleur. Son visage s'allonge. Son nez et son menton se joignent pour former un museau. Son corps se contorsionne jusqu'à prendre une nouvelle forme.

Devenue louve, elle lève la tête et hurle à la lune.

Quand mon réveil sonne, je reste allongée une minute, clignant des yeux sous les rayons du soleil qui entrent par la fenêtre.

Est-ce qu'Héléna est rentrée hier soir? Je me lève et vais jeter un coup d'œil dans le couloir. Sa porte est fermée. Je n'arrive pas à me souvenir si je l'avais laissée ouverte.

Je m'avance sur la pointe des pieds et écoute à la porte. Silence. Je frappe doucement.

La porte s'ouvre brusquement, et je recule en trébuchant.

— Bonjour, dit Héléna d'un air endormi. Qu'est-ce qu'il y a?

— Où étais-tu hier?

— Heu... ici, réplique-t-elle en levant un sourcil.

J'ai toujours voulu être capable de bouger un sourcil comme ça.

— Je te cherchais et tu n'étais pas là. Je t'ai attendue, mais je ne t'ai pas entendue revenir.

Elle hausse les épaules :

— J'étais probablement dans la salle de bain ou en train de grignoter dans la cuisine, répond-elle. Parfois, je me relève la nuit. Mais je ne suis pas partie longtemps. Tu as dû t'endormir.

Elle a un ton indifférent, et paraît sincère. Mais je remarque une trace de boue sur sa joue. Et ses cheveux sont tout emmêlés. *Comment a-t-elle pu se salir ainsi dans sa chambre?*

— Qu'est-ce que tu voulais? demande-t-elle en se touchant la joue.

Elle a dû remarquer que je regardais la tache de boue. Elle semble fatiguée et a les yeux cernés.

— Pourquoi me cherchais-tu hier? répète-t-elle.

Je me force à détourner le regard.

— Oh, je voulais savoir si tu avais entendu le loup.

— *Oh, oui!* dit-elle en soupirant. C'était magnifique, hein?

Elle me tourne le dos et referme doucement sa porte. Je reste là à regarder la porte d'un air ahuri. Quand elle s'est retournée, j'ai aperçu une feuille morte dans ses cheveux. Cette feuille n'était pas là quand elle m'a dit bonne nuit, hier. Quoi qu'elle en dise, je suis certaine qu'elle a passé une partie de la nuit dehors.

Mon cauchemar me hante toujours. Je repense à tout ce qu'Arthur m'a raconté au sujet des loups-garous. Avec le comportement étrange d'Héléna la nuit dernière, je ne sais plus quoi penser. Il se passe certainement quelque chose de bizarre…

Je me surprends à observer Héléna durant le déjeuner. Elle a lavé sa joue et enlevé la feuille de ses cheveux, mais elle semble extrêmement fatiguée. Pendant que sa mère prépare des crêpes, elle attend, assise en face de moi. Elle a les coudes sur la table, le menton appuyé dans une main. Peu à peu, ses yeux se ferment et sa tête s'incline.

Quelque chose me touche l'épaule. Je pousse un cri :

— *Aaaaaah!*

Je me lève d'un bond en agitant les bras. Ma main heurte un objet et on entend un bruit fracassant.

— Marisol! me réprimande ma mère.

Quand les battements de mon cœur se calment, je me retourne et la vois qui fronce les sourcils derrière moi. Le pichet de jus d'orange qu'elle tenait est en morceaux sur le plancher.

— Excuse-moi, je vais tout nettoyer, dis-je. Tu m'as fait peur.

— J'ai bien vu ça! dit-elle d'un air fâché. Tu parles d'une réaction!

— Désolée, dis-je en marmonnant.

Héléna a ouvert les yeux et m'observe d'un air endormi mais intense, comme un chat, ou un loup. Je remarque soudain autre chose : ses oreilles sont pointues.

Je vais chercher un chiffon pour aider Michelle et ma mère à nettoyer les dégâts.

— Michelle? dis-je d'un ton désinvolte. Hier, dans ma chambre, j'ai lu le... le livre sur les loups-garous.

Michelle éclate de rire.

— C'est fascinant, n'est-ce pas? Ce genre de livre a beaucoup de succès auprès de nos clients.

— Oui, dis-je avec hésitation. Cette ville a une histoire très intéressante.

— C'est vrai, répond-elle avec fierté.

— Michelle peut répondre à toutes tes questions au sujet de Wolf Valley, dit ma mère en souriant. Sa famille vit ici depuis le tout début. N'est-ce pas, Michelle?

— Oui, confirme Michelle. Me croirais-tu si je te disais que ma famille a même été mêlée aux histoires de loups-garous?

J'ai l'impression que mon cœur s'arrête de battre.

— *Vraiment?* s'exclame ma mère. Tu ne m'as jamais dit ça!

— C'était il y a très longtemps, explique Michelle en hochant la tête. La façon dont cette ville s'en est prise à ces familles innocentes, c'était vraiment terrible. Mais c'est de l'histoire ancienne.

Je me tourne lentement vers Héléna. Elle ne semble pas écouter. Elle fait tourner une bague sur son doigt en regardant par la fenêtre.

Son annulaire est particulièrement long.

C'est une bague en or, sertie d'une pierre turquoise. Une pierre en forme de loup.

Héléna doit avoir senti mon regard, car elle tourne la tête vers moi. Elle m'observe longuement. Son regard est froid et distant — comme celui de tous les loups que j'ai vus en photo. Un frisson me traverse l'échine.

Chapitre huit

À : diva12@netmail.com
De : étoile1013@netmail.com

Talia,
Il se passe des choses très, très étranges. Je ne sais pas comment t'expliquer, car les faits peuvent sembler insignifiants : Héléna a des oreilles pointues, ses annulaires sont aussi longs que ses majeurs, et je suis certaine qu'elle est sortie la nuit où le loup hurlait. Y comprends-tu quelque chose? En plus, c'était la pleine lune.
Je vais carrément l'écrire, car je ne peux en parler à personne ici. Je pense qu'Héléna est un loup-

garou. C'est complètement insensé! Tu vois pourquoi je ne peux pas en parler. Et je me sens mal pour Héléna, qui ne semble pas avoir d'amis. Je ne veux pas aggraver les choses en racontant qu'elle est un loup-garou. Dis-moi si je suis folle.
Tu me manques
xoxox
Marisol

À : étoile1013@netmail.com
De : diva12@netmail.com

Salut Marisol,
Tu as raison, tu es folle. Je t'avais avertie que ça arriverait si tu allais dans ce coin perdu! Mais je ne pensais pas que ça arriverait si vite...
Si tu veux vraiment vérifier qu'elle est un LOUP-GAROU, tout ce que je peux te dire — à part de consulter un psychologue ☺ —, c'est que j'ai joué dans une pièce de théâtre au camp, l'été dernier, qui s'appelait *Les folies de la pleine lune.* Je ne sais pas si je t'en ai parlé. Je jouais Mira, qui se faisait mordre par un loup-garou et devait décider si elle devenait un loup-garou ou si elle

laissait un savant fou lui donner sa nouvelle potion. Je chantais en solo et je portais une robe noire moulante!

En tout cas, dans la pièce, le loup-garou ne supportait aucun objet en argent. S'il touchait à ce métal, il poussait des cris d'agonie, comme les vampires avec les croix. Si on avait eu plus de budget pour les effets spéciaux, ses mains auraient dégagé de la fumée. Tu devrais essayer de lui faire toucher un objet en argent. Si rien ne se produit, tu pourras oublier tout ça.

À moins que ce ne soit une blague? Sors donc des montagnes du Montana, et appelle-moi. Je ne peux pas savoir si tu blagues dans un courriel.

Je m'ennuie!

Talia

Bon. De l'argent. L'idée des loups-garous me semble toujours difficile à croire, mais je me considère comme une scientifique. Je vais donc évaluer les preuves et rassembler plus d'informations avant de me faire une opinion.

Je cherche des renseignements sur les loups-garous sur Internet, mais les résultats ne sont pas satisfaisants. Il m'aurait fallu un guide sur les loups-garous au quotidien, genre « La détection des loups-garous pour les nuls ». Mais tout ce que je trouve, ce sont des choses qu'Arthur m'a déjà dites, ou des trucs du genre : « Dans ce livre de Harry Potter, Rogue donne un devoir sur l'identification des loups-garous » ou « Dans ce film, les vampires repèrent les loups-garous à leur odeur ».

C'est comme si les gens ne croyaient pas à l'existence des loups-garous. Ils ont probablement raison. *Probablement.*

Toute la journée, je surveille Héléna à l'école. Elle a l'air distraite et fatiguée. Au dîner, je lui fais signe de venir à ma table, où se trouvent déjà Andréa, Béatrice et Léa. Béatrice me jette un regard étonné, mais personne n'est désagréable envers Héléna. Elle se contente de bâiller et de sourire, et ne dit presque rien. Elle mange avidement, comme si elle était affamée. Je ne peux m'empêcher de m'interroger — sa métamorphose en loup-garou lui aurait-elle pris toute son énergie?

En rentrant à la maison, je décide de passer à l'action. Le conseil de Talia est ma meilleure option pour l'instant. Je fouille dans la petite boîte à bijoux que j'ai apportée, et trouve mon vieux bracelet à breloques. J'avais l'habitude de toujours l'avoir au poignet, mais il était bruyant et avait tendance à s'accrocher partout. J'ai donc cessé de le porter.

L'une des breloques est une étoile d'argent. Je la retire du bracelet, enlève un pendentif d'une chaîne en argent, et le remplace par l'étoile.

Je vais frapper à la porte d'Héléna. Cette fois, elle m'accueille avec un sourire. *Nous sommes vraiment en train de devenir amies,* me dis-je. Avec ce que je m'apprête à faire, elle va sûrement m'aimer encore plus (à moins qu'elle ne se mette à flamber). Je me sens un peu coupable de cette pensée. J'aime bien Héléna, mais mon comportement amical vise à découvrir si elle est un monstre.

— Salut, dit-elle en ouvrant la porte en grand. Veux-tu voir ce que je fais?

— D'accord.

Je la suis dans la pièce. Une foule d'animaux nous observent depuis les illustrations sur les murs, mais avec la lumière allumée, la chambre est plutôt confortable. Les murs eux-mêmes (ou ce que je peux en voir entre les photos et les affiches), sont peints en jaune. Le couvre-lit est un imprimé de tournesols. Contre un mur se trouve un bureau avec un gros tournesol peint sur le dessus. Des petits carrés colorés sont étalés sur le bureau. En m'approchant, je m'aperçois que c'est de la céramique. Au centre se trouve une mosaïque inachevée, avec un motif de spirale aux tons bleus et verts.

— Oh, comme c'est beau! dis-je.

— Merci, répond-elle d'une voix douce. Pour le cours d'anglais, on doit présenter un poème de notre choix. Je me suis dit que cette mosaïque serait plus intéressante qu'un exposé devant toute la classe. C'est un poème de Coleridge qui parle du ciel et de l'océan. Ces couleurs et ces formes me font penser à l'océan.

— C'est vrai, dis-je.

Elles me font aussi penser à l'océan.

— Je n'ai jamais vu la mer, dit Héléna, mais j'aimerais y aller un jour. J'adorerais observer des phoques dans la nature.

Elle me sourit.

— Heu, j'ai quelque chose pour toi, dis-je, soudain intimidée. Je voulais te remercier de m'avoir accueillie chez toi.

Je lui tends le pendentif.

— Oh! fait-elle, surprise et ravie. Merci!

Elle le passe autour de son cou. Comme elle a du mal à l'attacher, je m'approche pour l'aider. Je ne sais pas à quoi je m'attendais, mais elle ne s'enflamme pas et ne crie pas de douleur. L'argent repose sur son cou de façon inoffensive.

Je retourne dans ma chambre en me sentant ridicule. Toutefois, un doute persiste dans mon esprit. Le test de l'argent n'est pas très scientifique...

Chapitre neuf

Je suis contente que la fin de semaine approche. Je commence à m'y retrouver dans les couloirs de l'école et à comprendre ce qui se passe en classe, mais ça demande tout de même beaucoup d'efforts.

Samedi matin, Julien entre dans la cuisine d'un pas sautillant, plein d'énergie, le visage radieux.

— Bonjour, mesdemoiselles! lance-t-il en tirant ma queue de cheval.

— Qu'est-ce qui t'arrive? demande sa sœur, amusée. Comment se fait-il que tu sois debout aussi tôt un samedi?

— C'est une belle journée, répond-il en désignant la fenêtre. Le soleil brille, il y a une petite brise... C'est une journée idéale pour emmener notre nouvelle amie monter à cheval et faire un pique-nique.

Il fait un peu froid pour un pique-nique, mais j'ai remarqué qu'ici, dès qu'on ne gèle pas, tout le monde a envie d'aller dehors.

— Super, dis-je. Mais ma mère ne veut pas que je monte sans un adulte...

— Ne t'inquiète pas, répond Julien. Héléna et moi emmenons souvent des débutants avec nous. Et on sera trois, alors si tu te casses une jambe, l'un de nous pourra rester avec toi pendant que l'autre ira chercher de l'aide.

Je le regarde fixement.

— C'est une blague, dit-il. Sérieusement, ma mère sait qu'il n'y a aucun danger. Elle va convaincre *la tienne*.

Et ça marche. En tant qu'enfant unique vivant seule avec sa mère, je suis habituée à ce qu'elle vérifie tout pour moi. Elle rencontre les parents de mes amies avant de me laisser dormir chez elles, elle téléphone pour vérifier que je suis bien là où je devais aller... Quand je suis chez mon père, c'est encore pire parce qu'il n'est pas habitué à m'avoir avec lui. Il se sent donc obligé d'être encore plus vigilant.

Toutefois, Michelle répète à ma mère que Julien et Héléna sont *responsables*, qu'ils sont des cavaliers *expérimentés*. Elle lui explique qu'ils ont l'habitude d'emmener des débutants et qu'ils ont un certificat de secourisme. En outre, ils font des expéditions nocturnes à cheval depuis des années. Finalement, ma mère semble épuisée par ce déluge de paroles et accepte de me laisser partir.

Julien fait sortir un cheval brun à la crinière et à la queue noires, et l'attache à la clôture. Puis il retourne dans l'écurie et revient avec un cheval noir et un autre brun clair, qu'il attache à côté du premier.

— Voici Bibi, dit-il en flattant l'encolure du cheval brun foncé. Elle est très gentille et patiente. On la donne toujours aux débutants parce qu'elle est calme et aime rester avec les autres chevaux. Si tu ne lui dis pas où aller, elle suivra de toute façon.

Je caresse le museau de la jument avec nervosité. Elle a une rayure blanche sur la figure, et ses poils sont rugueux sous mes doigts. Elle souffle de l'air par ses naseaux et me jette un regard amical.

— Elle a l'air gentille, dis-je.

— Elle l'est, réplique Julien.

Il me montre comment utiliser le petit escabeau pour monter sur le dos de la jument, et comment tenir les rênes.

— Celui-ci s'appelle Ombrage, dit-il en montant aisément sur le cheval noir. C'est mon copain. Héléna monte habituellement cette jument, Flocon.

— Flocon? dis-je en regardant le cheval, qui est

indéniablement brun clair.

— Je lui ai donné ce nom quand j'avais six ans, lance Héléna en sortant de l'écurie. J'avais vu une série télé où un cheval s'appelait Flocon. Merci de l'avoir sellée, Julien. Maman m'a demandé d'asperger les rosiers avant de les rabattre pour l'hiver.

— Dépêche-toi, ou on part sans toi! plaisante son frère.

Héléna presse le pas, puis ralentit en s'approchant des chevaux. Elle tend la main vers la bride de Flocon. La jument s'ébroue et s'éloigne d'elle.

— Hé, Flocon! dit-elle.

Elle suit la jument en lui parlant sur un ton rassurant. Flocon s'arrête, les naseaux frémissants. Quand Héléna avance de nouveau la main, elle se cabre et recule en secouant la tête.

Héléna s'immobilise.

— Je ne sais pas ce qu'elle a, dit-elle d'une voix tremblante. Tout allait bien hier. Peut-être qu'elle est malade?

— Prends Ombrage, dit Julien en descendant de cheval. Je vais monter Flocon.

Quand Héléna s'éloigne, la jument se calme et frotte son museau contre la main de Julien, comme pour s'excuser. Héléna s'approche d'Ombrage, qui tape du pied et recule vivement.

— C'est bizarre, dit Julien.

— *Mais voyons!* s'exclame Héléna, qui semble sur le point de pleurer. Flocon m'aime, pourtant! Oublions ça. Je vais rester ici.

Julien fronce les sourcils.

— Non, on va trouver une solution. C'est peut-être à cause de l'odeur du pesticide que tu as utilisé dans le jardin. Laisse-moi tenir Ombrage.

Il prend la tête du cheval et lui tapote le cou en lui parlant doucement. Après une minute, Ombrage se calme, mais lorsque Héléna fait mine de s'avancer, il secoue la tête et essaie de s'éloigner.

— Je me suis lavé les mains, dit Héléna, les yeux pleins de larmes. Mais peut-être que je sens encore le produit. Si c'est ça qui les dérange, je ne sais pas comment m'en débarrasser.

Ils continuent leurs tentatives un moment, mais les deux chevaux ne veulent pas laisser Héléna les approcher. Cette dernière est de plus en plus bouleversée. Les chevaux tapent du pied et se déplacent de côté, alors que sous moi, Bibi se tient aussi immobile qu'un rocher. Je n'aurais jamais cru qu'un cheval puisse avoir l'air de s'ennuyer à ce *point*. Je m'attends presque à ce qu'elle sorte une Nintendo DS ou autre chose pour passer le temps.

— Bon, finit par dire Julien. Marisol, veux-tu

descendre?

— Heu, fais-je en regardant le sol, qui me semble à trois mètres plus bas.

Suis-je supposée me laisser glisser par terre? Julien me tend la main, et je réussis à descendre, quoique plutôt maladroitement.

— Héléna, prends Bibi, dit Julien. Ce qui agite les autres n'a pas l'air de la déranger. Marisol, tu monteras Flocon.

— Aïe! dis-je. Tu te souviens que je ne sais pas monter?

Ils m'assurent tous les deux que Flocon est une jument très douce. Héléna s'essuie les yeux du revers de la main, et Julien attache une longe à la bride de Flocon.

— Tu n'as qu'à rester assise, dit-il d'un ton rassurant.

J'hésite, mais je finis par me retrouver sur le dos de la jument. Elle ne me désarçonne pas, alors je suppose que ça va aller.

Quand Héléna s'apprête à monter sur Bibi, la jument s'agite comme jamais auparavant. Elle fait un pas de côté et trépigne nerveusement. Mais elle laisse Héléna monter, et nous partons enfin.

Nous empruntons un sentier dans les bois. Je ne peux m'empêcher de me trémousser nerveusement sur ma selle. Les bois sont remplis de sons : des brindilles qui craquent, des écureuils qui glapissent, des branches qui s'agitent au vent. Même si Héléna n'est pas un loup-garou (d'après le test de l'argent, du moins), je sais que j'ai entendu des loups *ordinaires* dans les bois. Il y a probablement aussi des ours, peut-être même des cougars. J'aime la nature et les animaux, mais il n'y a pas de gros animaux assoiffés de sang dans le centre-ville d'Austin.

Lorsque nous sortons des bois et nous retrouvons dans un pré, j'oublie momentanément mes craintes. La clairière est verdoyante et agréable. Devant nous s'élève une énorme montagne à la cime enneigée. Sur son flanc, j'aperçois trois cascades. C'est magnifique.

— C'est beau, hein? dit Julien. Attends de voir ce que j'ai apporté pour le pique-nique.

Il a préparé des sandwichs au fromage de soja avec de la moutarde maison, une salade de fèves noires et des brownies double chocolat. Tout est très bon, même si la moutarde a un goût particulier. Les brownies ne sont pas complètement cuits, mais ils sont délicieusement chocolatés.

La balade nous a ouvert l'appétit. Une fois le ventre plein, nous nous étendons sur la couverture.

— Regardez! dit Héléna en désignant un oiseau qui décrit des cercles au-dessus de nous. C'est une buse à queue rousse. Elle cherche des souris.

Un peu plus loin, les chevaux tapent nerveusement du pied à l'ombre. On dirait qu'ils nous observent. Non, je crois plutôt qu'ils regardent Héléna. L'étoile d'argent pend innocemment à son cou.

Est-ce que l'idée de Talia était vraiment un bon test? Je ne peux m'empêcher de penser qu'Héléna a quelque chose de bizarre, et que les chevaux le sentent.

La buse décrit de grands cercles. Je ferme les yeux. Je ne veux plus y penser. Je veux juste profiter du soleil. J'ai bien mangé, et je m'assoupis peu à peu sous les chauds rayons du soleil.

Cette fois, le soleil brille. En marchant dans les bois, je ris de mes craintes. Il n'y a rien d'effrayant ici.

Puis j'entends un bruissement et des craquements de branches derrière moi. Quelque chose de gros se fraie un chemin entre les arbres qui longent le sentier, hors de ma vue.

La bête se déplace vite. Les branches s'agitent sur son passage, mais je ne peux pas voir ce qui les fait bouger.

Un grondement grave fend l'air.

Je commence à courir, soudain effrayée.

La bête se rapproche. Peu importe si je cours, je sais

qu'elle peut me rattraper.

Le grondement retentit de nouveau, plus fort. Et plus près.

Mon cœur bat à grands coups dans ma poitrine. Mes mains tremblent et mon estomac est noué de frayeur.

Quelque chose me poursuit et je ne sais pas comment y échapper. Je suis terrifiée.

Chapitre dix

Le grondement résonne à nouveau. J'ouvre les yeux.

Mon cœur bat la chamade sous l'effet de mon rêve.

Puis je comprends que le grondement était un coup de tonnerre. Je suis allongée sur la couverture, dans la clairière. Le ciel s'est obscurci et rempli de nuages menaçants pendant que je dormais. Je m'assois. Une rafale de vent me fouette le visage. Je croise les bras et frissonne. Les chevaux hennissent et tirent sur leur longe, mais Julien et Héléna dorment toujours.

— Réveillez-vous! dis-je en secouant Héléna.

Elle se frotte les yeux en grognant.

— Oh, on s'est endormis?

Elle fronce les sourcils.

— Il va y avoir une tempête, dit-elle.

Julien s'est réveillé, lui aussi. Il regarde le ciel d'un air inquiet.

— Il fait froid, dit-il dans un frisson. On ferait mieux de partir.

Ils se lèvent et s'empressent de rassembler les restes du pique-nique.

— Qu'est-ce qui presse? leur dis-je, étonnée de leur hâte. Pourquoi paniquez-vous? On va se faire mouiller, c'est tout.

Je me lève à mon tour pour mettre le reste des brownies dans mon sac à dos.

Héléna referme le sien et le met sur ses épaules.

— Avec le changement de température, il pourrait y avoir un blizzard, dit-elle d'un air sérieux. On doit rentrer à la maison le plus vite possible.

— Un blizzard? dis-je en les regardant tour à tour. Mais on est en *septembre*. On vient de faire un *pique-nique*.

— Ça peut arriver, dit Julien en haussant les épaules. Rentrons vite.

Une goutte de pluie glacée tombe sur ma joue. En bordure de la clairière, les chevaux piaffent en secouant la tête.

Je ne pourrai pas monter sur cette jument, me dis-je en regardant Flocon. *Il n'y a pas d'escabeau, ici.* Mais je n'ai pas le choix. Julien me fait la courte échelle et je parviens à me hisser sur la selle. Il me tend les rênes et s'apprête à attacher la longe au harnais, quand le tonnerre éclate à nouveau au-dessus de nos têtes.

Flocon se cabre, arrachant la longe des mains de Julien. Elle s'emballe et m'emporte dans les bois, tandis que je m'accroche tant bien que mal.

Elle galope vers les arbres. Je me penche sur son encolure pour tenter de protéger mon visage. Je saisis les rênes et m'accroche à sa crinière rugueuse, en serrant de toutes mes forces mes jambes contre ses flancs.

Elle continue de galoper. Chaque foulée me donne l'impression que je vais m'envoler. Une branche de pin me fouette la cuisse. Je ferme les yeux. Je ne peux pas me baisser davantage et je ne veux pas voir ce qui va me frapper. Je me concentre simplement pour rester en selle.

Le tonnerre gronde au-dessus de moi. J'entends ma respiration haletante. Soudain, une averse s'abat sur nous. Flocon accélère encore. Je l'imagine en train de perdre l'équilibre sur le sol accidenté, de trébucher dans un trou et de tomber, de rouler sur moi...

Durant une seconde, je me dis que je devrais peut-être me laisser tomber avant que cela ne se produise. Puis j'ouvre les yeux. Nous allons tellement vite!

Impossible de tomber, même volontairement, sans me blesser gravement.

Je croyais utiliser toutes mes forces, mais j'oblige mes mains et mes jambes gelées et mouillées à serrer encore plus fort. Mes vêtements sont trempés. Quelque chose de froid et cinglant me fouette les bras et le visage. La pluie s'est transformée en grêle.

Je gémis quand Flocon chancelle, mais elle retrouve son équilibre et poursuit sa course folle. Une embardée soudaine me fait jeter un coup d'œil de côté, et j'entrevois une forme grise et jaune. Elle disparaît avant que je puisse cligner des yeux. S'agissait-il d'un des loups insaisissables de Wolf Valley? Ou simplement d'un buisson?

Je crie quand nous traversons un enchevêtrement de branches dans un bruit retentissant, avant de surgir dans une clairière.

Quelque chose d'énorme et de sombre se dresse devant nous. Flocon ralentit. Puis elle s'immobilise et attend calmement.

Je prends une grande bouffée d'air et me met à sangloter. Nous sommes arrivées à la maison. Flocon m'a ramenée.

Je ne peux pas bouger. Je reste assise, accrochée à la crinière de la jument, tremblant et pleurant sous la grêle qui me martèle. Flocon secoue la tête et fait un pas de côté, puis me regarde comme si elle se demandait pourquoi nous n'allons pas à l'écurie.

Un moment plus tard, Héléna et Julien arrivent au galop. La grêle s'est transformée en neige mouillée.

— Marisol! Ça va? s'écrie Julien en tirant sur les rênes d'Ombrage.

Il met pied à terre et court vers moi.

Héléna descend à son tour et s'approche avec les chevaux.

— J'étais tellement inquiète pour toi! dit-elle d'une voix tremblante. On ne savait pas si tu pourrais rester en selle!

Je réussis à arrêter de pleurer. Mais je ne peux pas parler sans fondre en larmes, alors je me contente de hocher la tête.

— Tout va bien, dit Julien d'un ton rassurant, en me tendant la main pour m'aider à descendre. Doucement.

J'ai les doigts gourds, mais je réussis à lâcher les rênes et à glisser le long du flanc de Flocon.

Héléna me serre dans ses bras.

— Je suis désolée. On n'aurait pas dû te laisser monter Flocon.

Je renifle et lui rends son étreinte.

— Je vais bien. Et vous ne saviez pas qu'il y aurait

une tempête.

La porte de la maison s'ouvre brusquement. Ma mère, Martin et Michelle courent vers nous avec des parapluies et des serviettes. Je lâche Héléna et ma mère m'enveloppe dans une serviette.

— Oh, Marisol, dit-elle en m'étreignant. J'étais tellement inquiète quand l'orage a commencé.

Derrière nous, Michelle réprimande Julien et Héléna de ne pas être rentrés plus tôt. Ils lui expliquent que nous nous sommes endormis. Martin prend les brides des chevaux et les conduit à l'écurie. Héléna s'avance pour l'aider, mais Flocon se cabre à son approche. Héléna recule de quelques pas.

Les chevaux ont toujours peur d'elle, me dis-je.

— Tout va bien, maintenant, dit ma mère en m'entraînant dans la maison.

Je n'en suis pas si sûre.

Chapitre onze

La tempête s'apaise bientôt, tout comme mes tremblements — quoique je ne remonterai pas de sitôt sur un cheval! Lundi matin, le temps est ensoleillé et je me sens bien. Je suis même allée à l'écurie dimanche, où j'ai donné des carottes à Flocon pour lui montrer que je ne lui en voulais pas.

— Tout le monde a eu peur, lui ai-je dit en caressant son museau brun.

Même moi, ai-je pensé.

Puis mes soupçons au sujet d'Héléna sont revenus. Pourquoi les chevaux ont-ils eu peur d'elle? Était-ce seulement à cause de l'odeur du pesticide? Le test de Talia a-t-il vraiment fonctionné? Que voulait dire Michelle à propos de sa famille et des histoires de loups-garous de Wolf Valley? Et surtout, où est allée

Héléna le soir de la pleine lune?

J'ai essayé de lui poser la question dimanche soir, mais elle m'a regardée droit dans les yeux en disant :

— Je ne sais pas de quoi tu veux parler.

Donc, lundi matin, je décide d'aller voir Arthur pour en apprendre davantage. Cela s'avère plutôt embarrassant. Lorsque je demande à Andréa où est le casier d'Arthur, elle me demande :

— Pourquoi? Oh, je *comprends*. Ouache. Sans vouloir t'insulter...

— Tu te trompes! lui dis-je.

Malgré mes protestations, elle continue de sourire d'un air entendu.

Je trouve Arthur à son casier.

— La charmante Marisol! s'exclame-t-il avec un sourire mielleux. Quoi de neuf, ma belle? Qu'est-ce que je peux faire pour toi? Mon casier est ton casier!

Il s'appuie dessus et écarte les bras. Quel clown!

— Heu, dis-je, embarrassée. Je voulais juste te parler des loups-garous.

Ses yeux s'écarquillent et il sourit de toutes ses dents.

— Tu me crois!

— Je n'en suis pas certaine, dis-je lentement. J'aimerais en savoir plus.

Il se redresse et prend un air sérieux. Il semble flatté que je lui demande son opinion d'expert.

— Eh bien, il y a des gens qui se métamorphosent en loup, surtout durant la pleine lune.

— Je sais tout ça, dis-je en essayant de ne pas m'impatienter. Quoi d'autre?

Il commence à répéter les mêmes trucs, au sujet du voisin de son arrière-arrière-grand-mère, des longs annulaires et des oreilles pointues. Il ajoute qu'à sa connaissance, il y a toujours eu des histoires de loups-garous à Wolf Valley, bien qu'il n'y ait jamais eu de preuve de leur existence.

— Les gens voudraient bien le prouver, dit-il. Léa pense que je suis fou, mais je ne suis pas le seul à croire qu'il y a des loups-garous dans les bois.

— Quel est le lien entre les loups-garous et l'argent?

— La façon classique de tuer un loup-garou, c'est avec une balle d'argent, répond-il. Peut-être parce que c'est un métal qui a un lien avec la lune.

— Les loups-garous peuvent-ils toucher un objet en argent? Est-ce qu'ils s'enflamment à son contact ou ressentent de la douleur?

Il fronce les sourcils.

— Je n'ai jamais entendu ça. Tu ne confonds pas avec les vampires et les crucifix?

— Non, dis-je en secouant la tête. Connais-tu des tests qui permettent de savoir si quelqu'un est un loup-garou? Je sais que les vampires n'aiment pas l'ail, les croix, les miroirs et le soleil, mais qu'en est-il des loups-garous?

Ce serait plus simple si je soupçonnais Héléna d'être un vampire. Il y a beaucoup plus de façons de vérifier.

Arthur réfléchit un moment.

— Je ne sais pas. Je ne crois pas qu'il y ait quelque chose d'aussi spectaculaire que les vampires et les croix. Dans certaines cultures, on dit que les loups-garous ne peuvent pas traverser de cours d'eau, mais c'est le cas de beaucoup d'êtres surnaturels. Attends une seconde! ajoute-t-il en écarquillant les yeux. Me poses-tu ces questions pour une raison particulière? Penses-tu connaître un loup-garou? Aurais-tu un suspect?

— Non, je m'interroge, c'est tout, dis-je en reculant. Merci, Arthur. Je dois aller en classe.

— Sérieusement, dit-il en me suivant. Est-ce que c'est M. Bouvier? J'ai toujours pensé qu'il en était un. Il est très agressif, tu sais!

M. Bouvier est le prof d'éducation physique. Il est très poilu et adore les sports de compétition. Mais je ne pense pas qu'il soit un loup-garou.

— Je te l'ai déjà dit. Je ne soupçonne personne. Je suis curieuse, c'est tout.

Que je suis nulle! Pourquoi me suis-je fiée à une pièce de théâtre montée pendant un camp d'été de Talia? Une fois, ils ont fait une version de *Roméo et Juliette* dans un vaisseau spatial! Et la moitié des monologues de Roméo étaient en rap! Je dois absolument faire d'autres recherches.

Toute la journée, j'observe Héléna. Je ne cesse de penser à la possibilité qu'elle soit un loup-garou. Le cours de maths est le seul que nous ayons ensemble. Comme d'habitude, elle n'accorde aucune attention au cours et gribouille dans son cahier. Quand M. Smith lui pose une question, je fais une grimace de compassion.

— Héléna, que vaut x dans cette équation?

— Dix-sept, répond-elle sans lever les yeux.

Sa réponse est exacte.

Je suis impressionnée. Je n'ai jamais entendu dire que les pouvoirs des loups-garous incluaient la télépathie ou la prémonition. Héléna doit donc être très intelligente.

Héléna vient de nouveau s'asseoir avec Andréa, Béatrice, Léa et moi à la cafétéria. Je suis heureuse de la voir. Même si je frémis à l'idée qu'elle se transforme en animal, je dois admettre qu'elle est très gentille avec moi depuis notre promenade à cheval. Du coup, je me sens coupable d'avoir de tels soupçons.

— Alors, tout le monde vient au voyage de camping? demande Andréa. Léa y va, bien sûr!

Elle étale une serviette sur ses genoux et commence à couper son pain de viande en huit parts égales. Léa hausse les épaules :

— Je suis obligée d'y aller. Tu viens aussi, Marisol? Elle vient d'entrer dans le club d'astronomie, explique-t-elle aux autres.

— Je ne veux pas manquer ça! dis-je avec enthousiasme. J'ai vraiment hâte. Je n'ai pas encore utilisé mon télescope depuis que je suis ici.

— À cause des loups, commente Béatrice avec un hochement de tête.

— Des loups? répète Héléna en levant les yeux.

— Oui, dit Béatrice. Aux nouvelles locales, ils nous avertissent toujours de ne pas sortir seuls le soir à cause des loups. Les journalistes font plein de reportages sur les dangers des animaux sauvages.

— Ah oui, fait Héléna en regardant son repas. Je trouve ça tellement injuste! Les loups ne sont pas agressifs envers les humains. Saviez-vous qu'il y a eu moins de trente attaques de loups au XXe siècle?

Seules trois d'entre elles ont été fatales, et c'était à cause de la rage. On a bien plus de risques d'être attaqué par un chien ou un ours, même dans les régions avec une population importante de loups.

— C'est vrai, dit Léa d'un ton calme. Les loups ne méritent pas leur mauvaise réputation.

— Mais combien de gens se sont approchés d'un loup sans se faire attaquer? demande Andréa.

— Généralement, les loups ne se trouvent pas près des gens, alors on n'en sait rien, répond Léa. Mais c'est tout de même une bonne idée de rester à l'écart des animaux sauvages.

Héléna se rembrunit.

— De toute façon, dit Béatrice que le sujet semble ennuyer, je vais sûrement participer à l'expédition de camping. Ce sera l'activité la plus amusante de tout l'automne. Vas-tu venir, Héléna?

— Je ne sais pas, répond cette dernière en rougissant.

— Ce sera génial! dit Béatrice. Julien et Marisol vont venir. Tu ne vas pas rester seule à la maison, non?

— Je suppose que non, dit timidement Héléna.

— On ne pourrait pas y aller sans Julien, dit Béatrice.

Andréa et elle se regardent et éclatent de rire. J'ai

vite compris que la moitié des filles de l'école ont le béguin pour Julien.

— C'est vrai, répond Héléna en souriant. Qui apporterait la nourriture, sinon?

— Ça doit être bizarre d'être la sœur de Julien, ajoute Béatrice. Il participe toujours à tout. L'école fermerait pratiquement ses portes sans lui. Toi, tu es... plus réservée.

Andréa fait la grimace. Nous savons toutes que ce n'est pas l'intention de Béatrice, mais ses paroles semblent vouloir dire : *Julien est une personne importante à l'école, et pas toi.*

Héléna fronce les sourcils. Elle lève la main pour toucher l'étoile d'argent qui pend à son cou, pousse un soupir, puis sourit.

— Ce n'est pas bizarre, réplique-t-elle. Julien est Julien, et je suis moi. C'est très bien comme ça. On est jumeaux, et aussi amis, même si on est différents.

— Exactement! dis-je. Et Julien apprend à faire des tartes, alors Héléna et moi, on a beaucoup de *chance!*

Nous éclatons toutes de rire et le malaise se dissipe. J'ai maintenant une autre raison de me sentir coupable de soupçonner Héléna. Elle fait vraiment un effort pour bien s'entendre avec les gens (même si, comme dit Julien, elle préfère les animaux). Et je commence vraiment à l'apprécier.

Chapitre douze

La réunion du club d'astronomie me change les idées. L'exposé porte sur les exoplanètes, et ensuite nous faisons des projets pour l'expédition de camping. Léa annonce que Julien va convaincre le club de cuisine de préparer autre chose, en plus des hot-dogs, hamburgers, et biscuits à la guimauve et au chocolat qu'ils apportent chaque année.

Dans l'autobus, après l'école, mes pensées se tournent à nouveau vers Héléna. L'ai-je déjà vue traverser un cours d'eau? Je songe à sa mystérieuse disparition le soir de la pleine lune, à son visage sali et à la feuille collée dans ses cheveux. Je me rappelle son regard vigilant, sa façon d'être sur la défensive chaque fois qu'on parle des loups, la nervosité des chevaux en sa présence. Je suppose qu'il peut y avoir une foule d'autres explications, mais c'est tellement... étrange. En tant que scientifique, quels tests pourrais-je faire pour connaître la vérité?

Je regarde par la fenêtre, mais tout est flou. Léa s'agite sur le siège, à côté de moi.

— Marisol? Youhou, la Terre à Marisol!

Son ton amusé m'indique que ce n'est pas la première fois qu'elle m'appelle.

— Désolée, lui dis-je.

— Ça va?

— Oui.

— Tu peux m'en parler si quelque chose t'inquiète, dit-elle avec un regard soucieux. As-tu le mal du pays?

— Pas vraiment.

Pas du tout, en fait, me dis-je avec surprise.

Je m'ennuie de Talia et de mes autres copines, mais j'aime bien Wolf Valley. Mon ancienne vie me paraît très loin.

J'ai envie de tout raconter à Léa. Elle est intelligente et pragmatique. Et j'ai vraiment besoin de parler à quelqu'un.

— Écoute, dis-je.

Puis j'hésite. Je ne peux pas me confier à quelqu'un de l'école. Ce ne serait pas juste pour Héléna. Je ne suis là que pour quelques mois, alors qu'elle vit ici. Si je répands des rumeurs à son sujet, je partirai en la laissant aux prises avec des potins qui risquent de la poursuivre tout au long de ses années d'école.

— J'écoute, mais je n'entends rien, plaisante Léa.

Comment obtenir l'opinion de Léa sans paraître stupide et sans qu'elle ne soupçonne Héléna?

— Héléna a dit des choses intéressantes sur les loups, ce midi, finis-je par dire d'une voix faible.

— Elle a raison, tu sais, réplique Léa. Les loups sont persécutés par les humains de bien des façons. Pourtant, ce sont des animaux pacifiques. Enfin, pour des prédateurs. Je ne les recommanderais pas comme animaux de compagnie!

Elle sourit puis, voyant que je ne réponds pas, elle fronce les sourcils.

— Marisol, tu n'es pas obsédée par les idées ridicules d'Arthur, j'espère?

— Qu'est-ce qui te fait dire ça? dis-je d'un air coupable.

— Arthur raconte bien des choses, mais il a souvent tort, répond-elle en soupirant d'un air excédé. L'an dernier, il était certain qu'on allait se faire envahir par des zombies. Il avait convaincu un groupe d'élèves de planifier leur défense en cas d'attaque. Les loups sont intéressants, mais ce sont des animaux. *Les loups-garous, ça n'existe pas.*

Tout en marchant d'un pas nonchalant vers la maison, les paroles de Léa résonnent dans ma tête : *Les loups-garous, ça n'existe pas.*

En entrant, je sens la bonne odeur du souper sur le feu. Michelle me fait signe de la cuisine. Le téléviseur est allumé dans le salon, l'ambiance est chaleureuse et tout est normal. Je me sens beaucoup mieux, tout à coup.

Je vais vérifier mes courriels. J'ai déjà écrit à Talia pour lui apprendre le résultat du test de l'argent, sans lui faire part de mes doutes. Son dernier courriel est rempli de nouvelles à propos de nos amies. Toutefois, ma vie à Austin me semble bien loin.

En allant dans ma chambre, je remarque que la porte d'Héléna est ouverte. La lumière est allumée, mais il n'y a personne. Sur les murs, les animaux m'observent quand je passe la tête dans l'embrasure. Un loup gris semble me regarder fixement. Ses yeux jaunes sont écarquillés et ses crocs découverts lui donnent un air féroce.

Je me hâte dans le couloir et vais frapper à la porte de ma mère. Elle est assise à son bureau et travaille sur son ordinateur portable.

— Bonjour, ma chérie. Tu es déjà rentrée? La journée est passée si vite! J'ai beaucoup à faire pour compléter le numéro de novembre, mais je pense pouvoir le terminer à temps.

Elle se lève et s'étire. Elle est toute décoiffée, comme si elle s'était passé et repassé la main dans les cheveux en réfléchissant.

Elle s'assoit sur le lit et tapote la couverture à côté d'elle.

— Je peux bien m'arrêter un moment pour parler un peu avec ma fille. Comment s'est passée ta journée?

— Bien, dis-je en m'assoyant. Le club d'astronomie est super. Et je pense avoir répondu correctement aux questions du test de sciences.

Son lit, de style bateau en bois courbé, est couvert d'une courtepointe jaune. Les murs jaune clair sont ornés de photos de chevaux (Michelle affirme que les clients de l'auberge les apprécient). C'est une chambre douillette et gaie. Je passe un doigt sur un carré de la courtepointe.

— Quelque chose ne va pas, Marisol? demande ma mère en se penchant pour me regarder dans les yeux. Tu as l'air préoccupée.

Je ne peux pas tout lui dire. Michelle est l'une de ses plus vieilles amies, et nous vivons dans sa maison.

Mais je peux lui confier une partie de mes inquiétudes.

— Maman, as-tu entendu des loups hurler à l'extérieur de la maison?

Elle fronce les sourcils.

— Il y a quelques jours, oui. Mais il n'y a pas lieu de t'inquiéter. Les loups préfèrent rester loin des gens.

— Je ne m'inquiète pas à cause des loups. En fait, pas parce que ce sont des loups. Il y a quelques jours, quand tu as entendu le hurlement, c'était la pleine lune, non?

— Si tu le dis, répond-elle d'un air perplexe.

— Eh bien, il y a un livre dans ma chambre… dis-je d'un ton nerveux.

Le visage de ma mère s'éclaircit et elle éclate de rire.

— Le livre sur les loups-garous? Voyons, Marisol! C'est ridicule!

Elle se ressaisit, même si elle sourit toujours.

— Marisol, les légendes locales sont bonnes pour les affaires des auberges et des gîtes touristiques. Michelle a mis ce livre dans les chambres avec les guides de randonnée. C'est un livre amusant à consulter, mais il ne faut pas le prendre au sérieux, insiste-t-elle.

— Ce n'est pas seulement ça, dis-je d'un ton hésitant. Des élèves de l'école disent qu'il y a des loups-garous. Un garçon m'a raconté que son arrière-arrière-grand-mère avait connu un loup-garou. Il dit qu'il y a plus de loups dans la région quand c'est la pleine lune.

Je ne peux pas tout lui raconter au sujet d'Héléna, mais je peux lui parler du malaise que j'ai éprouvé dehors, devant le ranch. J'ajoute donc :

— Et parfois, j'ai une drôle d'impression. Comme si quelque chose *m'observait.*

Le visage de ma mère est parfaitement sérieux, mais elle dit d'un ton amusé :

— Écoute, ma chérie. Tu sais que ma grand-mère, mon *abuela*, venait du Mexique?

— Oui, dis-je en me demandant où elle veut en venir.

— Eh bien, mon *abuela* était une femme adorable, qui avait l'habitude de me raconter des histoires qui me terrifiaient, dit-elle en riant. C'étaient des histoires effrayantes qui parlaient du *chupacabra*, une espèce de vampire, et de toutes sortes de monstres. Mon père lui a demandé d'arrêter parce que je ne voulais plus aller au sous-sol toute seule. J'étais convaincue que quelque chose allait me sauter dessus. Mais je l'ai suppliée de me raconter d'autres histoires. Tu sais pourquoi?

— Non.

— Parce que je suis comme tout le monde. Les gens adorent avoir peur. Ils adorent raconter des histoires effrayantes. Toutes ces rumeurs de loups-garous, ce ne sont que des histoires. Tu te sens peut-être vulnérable et nerveuse parce que cet endroit est encore nouveau pour toi?

Je m'appuie contre elle et hoche la tête. C'est vrai que je ne suis pas encore habituée à vivre ici. Mais mes inquiétudes au sujet d'Héléna s'appuient sur des preuves. Enfin, presque. Je ne pense pas que ces *preuves* convaincraient ma mère.

Elle me caresse les cheveux, dégageant mon visage.

— Est-ce que ça te rassure? Te sens-tu mieux?

— Oui, lui dis-je avec un sourire.

Mais je mens. En vérité, je ne me sens pas mieux, pas du tout.

Chapitre treize

La semaine suivante passe rapidement, avec les activités scolaires habituelles : devoirs, éducation physique, examens, repas du midi. Puis la semaine de l'expédition arrive. Nous devons partir le vendredi, après l'école, et il reste beaucoup à faire. À la maison, Julien nous a enrôlées, Héléna et moi, comme assistantes cuisinières (Héléna a décidé de venir avec nous! Youpi!). À l'école, Léa veut que je l'aide à revoir des millions de détails pour l'organisation du voyage.

Voici à quoi ressemble ma semaine :

Lundi. Pendant le dîner, je retrouve Léa au local de sciences. Elle a les chèques de tous les participants, des listes de matériel, des détails de réservations, des appels téléphoniques à passer. Elle vérifie tout avec un tel acharnement que de petites mèches de ses cheveux habituellement lisses s'échappent de son bandeau et se dressent dans les airs, ce qui lui donne une drôle de tête.

— Bon, dit-elle d'une voix tendue. Les tentes, les sacs de couchage... Les enseignants vont emmener la plupart des élèves dans des fourgonnettes, et les autres viendront avec le matériel, dans des camionnettes conduites par les parents. Il faut rappeler à tout le monde d'apporter des vêtements chauds pour dormir.

— Ça oui! dis-je.

Il fait assez doux pour porter une veste légère durant la journée, mais la température descend presque au point de congélation pendant la nuit. J'ajoute :

— Tu dois tout organiser toute seule? M. Samuel ne t'aide pas?

— Il va tout vérifier, dit-elle en haussant les épaules. Mais je veux que ce soit parfait.

Elle tapote son crayon sur le bureau et poursuit :

— Du papier hygiénique, de l'eau... Combien d'eau faut-il pour trente personnes durant deux jours?

— Attends! dis-je, alarmée. Je croyais qu'il y avait des toilettes, des douches, un magasin, et tout ça! Ce n'est pas un terrain de camping public?

— Oui, dit Léa. Mais nous sommes en octobre.

Après l'été, il y a seulement du camping sauvage. Tout est fermé. Il y a des toilettes sèches, mais c'est tout.

Je ne sais pas ce qu'est une toilette sèche, mais je peux deviner. *Beurk.*

Léa se lève d'un bond.

— Mais non! proteste-t-elle. Ne fais pas cette tête-là! Ça va être *extraordinaire!*

— Extraordinaire? dis-je d'un air dubitatif.

— Oui! dit-elle en écartant les bras avec un sourire radieux. Imagine-toi une nuit étoilée, un feu de camp, l'odeur de la fumée, les bruits des petits animaux dans les bois, et nous, au milieu de l'univers!

— Oh, je n'avais pas vu ça comme ça.

Je ne savais pas que Léa était du genre idéaliste. Elle me semblait plutôt terre à terre.

— De toute façon, ajoute-t-elle en haussant les épaules, je veux juste que tout le monde s'amuse.

— Tu as raison, dis-je d'un ton ferme.

Ce n'est que pour deux nuits, me dis-je. *Pas besoin d'eau courante.*

Je fais un sourire encourageant à Léa et propose :

— Je vais aller vérifier sur Internet la quantité d'eau dont une personne a besoin par jour. Ce doit être facile à trouver.

Mardi.

—Goûte! dit Julien.

Ça sent bon, comme des noix rôties. Héléna lève les yeux, gardant sa page avec son doigt.

— Julien, on a un test de maths demain. On n'a pas le temps de tester tes recettes.

— *Goûte!* insiste-t-il en fronçant les sourcils.

Il lui tend une cuillère remplie d'un mélange de céréales et de noix. Elle ouvre la bouche.

— Pas mal, dit-elle. J'aime le goût de miel.

— Qu'est-ce que c'est? dis-je.

— Mon mélange musli spécial, répond fièrement Julien. Je l'ai préparé pour le voyage. Goûte.

J'essaie à mon tour. C'est bon. Chaud, sucré, tendre. Tout de même...

— Ce ne serait pas plus simple d'apporter des boîtes de céréales?

— Elles sont atroces! proteste-t-il en découvrant les dents et en *grognant.*

Pendant un instant, son visage prend une expression menaçante. Ses yeux sont plissés et ses cheveux hérissés.

— Maniaque, dit sa sœur d'un ton affectueux, avant de se tourner vers moi. Marisol? Tu as l'air effrayée. Ça va?

— Bien sûr.

Une idée vient de me traverser l'esprit : *si Héléna est un loup-garou, qu'en est-il de Julien?*

Selon le livre dans ma chambre, des familles entières étaient soupçonnées d'être des loups-garous. Leurs membres ont disparu et se sont réfugiés dans les bois. Si Héléna est un loup-garou, est-il possible que les autres membres de sa famille le soient aussi?

J'ai du mal à imaginer Michelle et Martin en loups-garous. Après tout, ils sont restés dans la maison, sous forme humaine, le soir de la pleine lune. Ils *doivent* donc être humains. Et je crois que ma mère aurait remarqué si Michelle était un loup-garou durant les quatre années où elles ont vécu ensemble à l'université. Par contre, Michelle a révélé que sa famille était l'une de celles qui ont été chassées du village, non?

Non, c'est ridicule. Tout de même… Je pense à mon amie Olivia, à Austin. Ses parents ont les cheveux et les yeux bruns, alors qu'Olivia est une blonde aux yeux verts. Les gens lui demandent parfois si elle a été adoptée, mais ce n'est pas le cas — sa grand-mère était blonde. Est-ce que le fait d'être un loup-garou est causé par un gène récessif qui sauterait une génération?

— Marisol? répète Héléna.

Julien et elle me regardent fixement. Je leur fais un sourire hésitant et réponds avec un entrain forcé :

— Oui, oui, ça va.

Soudain, je suis très contente de savoir que je serai revenue du voyage de camping avant la pleine lune.

Mercredi. Après les cours, je vais à la bibliothèque de l'école.

— Est-ce que je peux t'aider? demande la bibliothécaire quand je m'assois devant un ordinateur.

— Non, merci. Je peux me débrouiller.

Je préfère que personne ne sache ce que je cherche.

Quand elle s'éloigne et que je suis certaine de ne pas être observée, je tape les mots « loup-garou » et « génétique » dans le moteur de recherche. Rien d'intéressant n'apparaît à l'écran.

Je tape ensuite « devenir un loup-garou » et obtiens quelques liens prometteurs. L'un concerne un jeu de rôles, d'autres sont des critiques de films, mais l'un des sites contient exactement les informations qu'il me faut.

Il s'intitule « Comment devient-on un loup-garou? » On y explique les différentes façons dont les gens sont devenus des loups-garous, selon les légendes. Il n'y a pas que les morsures. Si on *veut* être un loup-garou, on peut boire de la rosée provenant d'une empreinte de loup (beurk), manger le cerveau d'un loup (double beurk), se frotter le corps avec une lotion magique (bizarre) ou porter une fleur spéciale (douteux). On peut aussi devenir un loup-garou à la suite d'une morsure, ou *en raison d'une malédiction familiale*.

Je souris en imaginant Héléna et son frère en train de préparer une lotion magique au lieu du musli spécial de Julien. Mais un sortilège familial serait plausible, puisque Michelle descend d'une des premières familles de Wolf Valley. Le site confirme également mes suppositions concernant l'aspect récessif :

Même si on naît dans une famille de loups-garous, seuls certains enfants héritent du gène, qui peut sauter plusieurs générations et ressurgir de façon inattendue.

Donc, Julien et Héléna pourraient être des loups-garous sans que Michelle n'en soit un. Elle leur aurait transmis le gène sans le savoir.

Et Julien n'en est pas nécessairement un, même si c'est le cas de sa sœur. Ce ne sont pas de vrais jumeaux, après tout. Ils ont des gènes différents. En outre, même si je ne souhaite pas qu'Héléna soit un loup-garou, je ne veux *vraiment* pas que Julien en soit un. Je repense à ses yeux bleus amicaux, son sourire rayonnant... Il est beaucoup trop *radieux* pour être une créature de la nuit.

Je me dis tout de même que je ferais mieux de les surveiller tous les deux.

Jeudi. Héléna et moi aidons Julien à mettre la nourriture dans des glacières. Je suis tellement occupée à tout préparer pour la fin de semaine que je pense à peine aux loups et aux loups-garous.

Mais cette nuit-là, je rêve.

Je suis à l'extérieur de la maison, dans l'obscurité. Tout est calme — j'entends les chevaux hennir doucement dans l'écurie et les feuilles bruisser dans la brise. Il fait froid et les étoiles brillent. J'aperçois la constellation du Loup dans le ciel, au-dessus de moi.

Rien ne se passe, mais je suis terrifiée. Je sais que quelque chose s'approche. Soudain, je sais qu'il est là. Les bruits de la nuit se sont arrêtés autour de moi. Dans le silence, je sens le loup qui m'observe.

Je me retourne, fouillant les arbres et les buissons des yeux pour trouver l'animal qui me fixe du regard. Je ne vois rien.

Tout à coup, une brindille se casse avec un bruit sec. Je pousse un cri.

Je me réveille effrayée, la bouche sèche et le cœur

battant. Le rêve était plutôt inoffensif. Rien ne s'est produit à part un craquement de branche. Mais j'étais terrifiée, et dans mon rêve, je savais pourquoi. C'était parce que le loup s'approchait et que je n'avais aucun moyen de lui échapper.

Vendredi. Ce jour-là, on dirait que personne n'arrive à se concentrer en classe. Quand la dernière cloche sonne, nous nous retrouvons tous dans le labo de sciences : vingt-cinq élèves et quelques enseignants, avec les sacs de voyage, les tentes, les glacières pleines de nourriture, l'eau et les sacs de couchage.

Arthur vibre pratiquement d'excitation. Il sort un disque volant de son sac à dos et le lance au hasard. Quelqu'un l'attrape, et bientôt, il vole partout dans la pièce.

— On va faire la fête dans les bois! s'écrie Arthur.

Je jette un coup d'œil à M. Samuel. Il est en grande conversation avec Léa et ne remarque rien. Mais Héléna croise mon regard. Elle porte une glacière sur laquelle sont empilés des paquets enveloppés de papier d'aluminium. Je me fraie un chemin à travers la cohue pour aller prendre une partie de son fardeau.

— Merci, dit-elle.

— Je me demande bien ce que c'est, dis-je d'un ton

ironique en désignant les paquets d'aluminium.

— De la nourriture, quoi d'autre? s'exclame-t-elle. Tu devrais voir ce que Julien a laissé dans la camionnette!

Elle promène son regard dans la pièce, remplie de jeunes qui crient, sautent et discutent avec animation. Un garçon a sorti une balle de tennis et la fait rebondir sur le mur.

— Penses-tu qu'on va partir bientôt? demande Héléna d'un air découragé. Ce truc est plutôt lourd.

Un loup-garou aurait sûrement plus de force, me dis-je. Un autre argument en faveur de la normalité d'Héléna. J'essaie de chasser ces pensées. Rêve ou pas, je ne vais pas me tourmenter cette fin de semaine. Je vais m'amuser.

Léa monte sur une chaise, met deux doigts dans sa bouche et pousse un sifflement strident. Elle tend le bras pour attraper le disque volant, puis jette un regard courroucé au garçon à la balle de tennis. Il la rattrape et la remet dans son sac.

— Bon, c'est le moment de partir! annonce-t-elle en souriant au milieu des cris et des applaudissements. Écoutez-moi bien pour savoir dans quelle fourgonnette vous devez monter.

Tout le monde se calme. Je la regarde avec

admiration. Elle réussit à se faire écouter et obéir d'un groupe de jeunes sans même élever la voix.

Une fois les places assignées, nous ramassons nos sacs, les tentes et tout le reste, et nous partons. Enfin!

Chapitre quatorze

Le terrain de camping Two Medicine est très agréable. Il est situé au bord d'un lac entouré de conifères.

Nous montons nos tentes et rangeons la nourriture dans de gros bacs de métal, à l'abri des animaux. Héléna, Léa, Béatrice et moi partageons une tente. Nous y serons à l'étroit : il n'y a de la place que pour quatre personnes. À tour de rôle, nous déroulons nos sacs de couchage et déposons nos sacs à dos. Quand c'est mon tour, je tâte le sol de la tente. Aïe. C'est froid et dur, malgré la bâche. Je vais probablement geler et me retourner toute la nuit. De toute évidence, je suis une citadine dans l'âme.

Lorsque les tentes sont prêtes, c'est déjà le crépuscule. Tous ceux qui ont apporté des télescopes commencent à les installer autour du terrain. Nous n'observerons les étoiles qu'après le souper, quand il fera très noir, mais nous voulons tout préparer à l'avance pour ne pas avoir à le faire dans l'obscurité.

— Attention! crie quelqu'un derrière moi.

Je tressaille quand Arthur me heurte en courant. Une seconde plus tard, son disque volant frappe mon télescope.

— Hé! dis-je, indignée.

Béatrice s'approche et ramasse le disque.

— Tu devrais faire plus attention, dit-elle en souriant à Arthur.

— Désolé, mesdemoiselles, répond-il. Parfois, je ne contiens plus mon énergie!

Je lève les yeux au ciel et ajuste mon télescope pendant qu'il s'éloigne. Béatrice sourit et passe ses doigts dans ses boucles rousses.

— Tu ne trouves pas qu'il est beau?

À vrai dire, je ne me suis jamais posé la question. Ce n'est pas qu'Arthur ne soit pas un beau garçon, mais il est trop nerveux et blagueur pour me plaire.

— Pas vraiment. Et toi?

Elle rougit et hausse les épaules.

— Oui. Je le trouve drôle.

Les profs allument un feu de camp, et bientôt,

l'odeur des hot-dogs et des hamburgers emplit le terrain de camping. Je vais retrouver Léa, qui consulte ses notes.

— J'ai faim, gémit-elle. Ça sent bon, hein?

— Je n'aime pas vraiment les hamburgers, lui dis-je, mais je commence à avoir faim. Penses-tu que Julien a pensé à apporter des hamburgers végétariens?

— Ah oui, c'est vrai! Je suis certaine que Julien y a pensé.

Elle me fait un petit sourire espiègle.

— Quoi?

— Je crois que Julien t'aime bien, répond-elle. Il t'observe toujours quand tu ne le regardes pas.

Vraiment? C'est plutôt flatteur, mais je rétorque en secouant la tête :

— Julien aime tout le monde. Il est gentil avec moi parce que je vis chez lui et que nos mères sont de grandes amies.

— D'ac-cord, dit-elle d'un ton taquin. Si tu le dis!

— Est-ce qu'il y a quelque chose de spécial dans l'eau, ici? Béatrice vient de me dire qu'Arthur lui plaisait.

— *Ah bon?* dit Léa. C'est un choix intéressant. Je les verrais bien ensemble. Quant à Julien...

— Chut! dis-je en rougissant.

Julien s'approche de nous avec une assiette. Léa

glousse.

— Salut, lance-t-il. Tiens, Marisol, j'ai fait préparer le tien et celui d'Héléna en premier pour qu'ils ne soient pas contaminés par la viande.

— C'est très gentil de ta part, lance Léa en me donnant un petit coup de pied.

— Merci, Julien, dis-je.

— De rien. M. Samuel a fait cuire le hamburger, mais je t'ai apporté un peu de salade de pommes de terre et de salade de chou. C'est ma recette secrète, dit-il en hochant la tête pour m'encourager à prendre une bouchée.

Je goûte à la salade de chou et lui sourit.

— Miam. C'est délicieux!

— Merci, répond-il avec fierté avant de se tourner vers Léa. La viande devrait être prête. Viens!

Il repart vers le feu de camp.

Léa se lève d'un bond.

— J'ai faim! lance-t-elle en le suivant.

Je leur emboîte le pas lentement, en regardant autour de moi. Tous les campeurs prennent des assiettes de nourriture et vont s'asseoir en petits groupes pour discuter.

Je m'assois près d'Héléna.

— Le feu sent bon, hein? dit-elle en souriant. J'adore les feux de camp.

— Moi aussi.

À l'extérieur du cercle de lumière, la forêt est sombre autour de nous. Les flammes jettent une lueur vacillante sur le visage des campeurs, et les étoiles luisent dans le ciel. Quand tout le monde a fini de manger, quelques-uns sortent des lampes de poche et s'éloignent du feu pour jouer à se poursuivre dans la clairière.

— N'allez pas dans les bois! les avertit M. Samuel. Nous ne voulons perdre personne. Rappelez-vous qu'il y a des animaux sauvages dans la forêt. Placez tous les déchets et les restes dans les sacs de plastique pour qu'on les mette à l'abri. Il ne faut pas attirer les ours.

— Ni les loups, les cougars ou les coyotes, ajoute Mme Adam, une des enseignantes qui nous accompagnent.

— Oh, dis-je en frissonnant.

Je ne veux pas penser aux animaux sauvages qui rôdent autour de nos tentes.

— Ne t'inquiète pas, dit Héléna. Ça m'étonnerait qu'on voie des animaux, avec un groupe aussi bruyant!

Elle semble triste.

— Bon, allons regarder les étoiles! lance Léa quand tout est rangé.

Je me hâte vers mon télescope. Béatrice, Andréa,

Héléna et Julien m'accompagnent. Je leur montre Vénus, Jupiter et Mars. On aperçoit même les anneaux de Saturne.

— C'est merveilleux, dit Julien.

— Et la lune? demande Béatrice. Je veux voir la lune!

Je pointe le télescope vers la lune et leur montre les cratères. La lune est jaune, presque pleine, et semble flotter juste au-dessus de la cime des arbres.

— Il y a une espèce d'anneau autour, dit Héléna. Qu'est-ce que c'est?

— C'est la lumière lunaire réfléchie par des cristaux de glace en suspension dans l'atmosphère, lui dis-je. Comme un arc-en-ciel, mais causé par la lune.

— Génial, répond-elle avec un grand sourire.

Quand tout le monde a pu utiliser un télescope, Léa nous fait revenir près du feu de camp pour le dessert et les histoires. Je m'apprête à suivre les autres, mais Julien me retient par le bras.

— Est-ce que je peux te parler une seconde? demande-t-il.

Mon pouls s'accélère. Peu importe ce que j'ai dit au sujet de mon amitié pour Julien, je dois avouer qu'il me plaît. Est-ce vrai qu'il m'aime bien?

— Bien sûr, lui dis-je.

— Je n'ai jamais pu entraîner Héléna dans une

sortie comme celle-ci. Elle est timide, et des enfants se sont moqués d'elle l'an dernier parce qu'elle s'intéressait plus aux animaux qu'aux gens. Je suis content que tu l'aies convaincue.

— J'aime bien Héléna, dis-je en haussant les épaules.

— Je sais. C'est gentil. *Tu es* gentille, ajoute-t-il en me serrant le bras.

Je rougis. Nous demeurons silencieux un moment.

— Allez, viens! dit-il. Tu dois goûter un de mes carrés au chocolat et aux framboises avant qu'ils ne disparaissent!

Une fois que nous sommes tous réunis autour du feu, Léa désigne quelques constellations et parle des mythes grecs à l'origine de leur nom.

Julien est assis à côté de moi. Je m'appuie légèrement contre lui en mangeant mon carré au chocolat. Son bras est chaud et solide. Je ne peux m'empêcher de lui jeter des coups d'œil. Il me retourne mon regard en souriant. Mon cœur tressaille de nervosité et de bonheur. Le feu crépite. Le carré au chocolat est délicieux. La vie est belle.

Quand Léa a fini de parler, Bianca, une fille du club d'astronomie, se lève.

— Hum, fait-elle en tortillant une mèche de ses cheveux noirs. Voici une histoire vraie que mon frère m'a racontée. C'est arrivé ici même, sur ce terrain de camping, à des enfants qu'il connaissait quand il avait notre âge. Ces trois garçons étaient de grands amis. Ils avaient convaincu leurs parents de les laisser camper seuls. Au début, ils se sont bien amusés à pêcher, à faire des randonnées et à cuisiner sur leur feu de camp. Mais quand il a fait noir, ils ont commencé à entendre des bruits étranges dans les bois. Des branches se briser, des feuilles craquer... On aurait dit qu'une bête énorme se frayait un chemin vers eux dans les bois, se rapprochant peu à peu. Puis ils ont entendu un terrible grondement : *wou-hou-hou-hou*. Un des garçons a eu peur. Il voulait appeler ses parents, mais ses copains se sont moqués de lui, disant que c'était probablement un hibou. Il s'est fâché et est allé se coucher. Il était sur le point de s'endormir quand il a entendu des cris horribles et des coups. Il est sorti de la tente en courant. Ce n'étaient que ses amis qui criaient en frappant un chaudron avec des cuillères pour lui faire peur. Il est retourné dans la tente. Un peu plus tard, il était presque endormi quand il a entendu ses amis crier de nouveau, en secouant la tente. Il n'allait pas tomber dans le piège une deuxième fois! Alors, il a mis sa tête sous son oreiller et s'est rendormi.

Le lendemain matin, en se réveillant, il a vu qu'il

était seul dans la tente. Ses amis n'étaient nulle part sur le terrain de camping. Le sol était tout retourné à l'endroit où était le feu de camp, comme si d'énormes griffes avaient labouré la terre. En regardant la tente, il a vu des éraflures sur les parois, comme si des pattes aussi grosses que sa tête avaient essayé de fendre le tissu.

Bianca baisse la voix et se rapproche de nous avant de reprendre :

— On n'a jamais retrouvé ses amis. Des gardes forestiers ont fouillé toute la forêt, mais n'ont trouvé que des bouts de tissu qui provenaient peut-être du chandail d'un des garçons. Un an plus tard, le garçon qui s'en était tiré indemne est revenu au terrain de camping. Il a marché dans les bois et a vu une chose horrible.

Elle s'interrompt et nous regarde. Je me penche en avant pour mieux entendre.

— Dans l'obscurité, il a vu... BOUUUUH! crie-t-elle soudain à pleins poumons.

Nous poussons des cris de frayeur.

Je m'aperçois que je serre le bras de Julien.

— Excuse-moi, lui dis-je d'un air penaud. Elle m'a fait peur!

— Je vais te protéger, répond-il d'un air faussement sérieux, en me tapotant l'épaule.

Tout le monde rit. Ce n'était qu'une blague, une mise en scène effrayante pour nous faire sursauter.

Pourtant, je ne peux m'empêcher de contempler la lune, presque pleine. Un frisson me traverse malgré la chaleur du feu.

Chapitre quinze

Il est tard quand Léa, Béatrice, Héléna et moi nous entassons dans la tente. Je tombe aussitôt dans un sommeil profond et sans rêves.

J'ai l'impression d'avoir dormi longtemps quand j'ouvre soudain les yeux dans l'obscurité. Je suis tout à fait réveillée. J'entends quelque chose à l'extérieur de la tente. Un reniflement et des grattements contre les parois.

— Les filles? dis-je en chuchotant.

Aucune ne me répond. Quelque chose frotte contre la tente à côté de ma tête. Je me rappelle soudain à quel point le tissu est mince.

— Les filles! dis-je anxieusement, d'une voix plus forte.

Je secoue Béatrice, couchée à côté de moi.

— Mmmmm, marmonne-t-elle. Quoi? C'est le milieu de la nuit!

— Arrêtez de parler, marmonne Léa tout endormie.

— Il y a quelque chose dehors, leur dis-je.

Elles écoutent un moment.

— Il n'y a rien, grommelle Béatrice. Tu as seulement peur à cause de l'histoire idiote de Bianca...

Un horrible grognement rauque l'interrompt. Nous poussons un hurlement.

— Qu'est-ce que c'est? crie Béatrice.

— Hé! s'exclame soudain Léa. Héléna n'est pas là.

Mon cœur se serre. Tout à coup, j'ai du mal à respirer. Je tends le bras vers le sac de couchage d'Héléna. Il est vide. Dehors, le reniflement reprend, accompagné d'un bruit métallique.

Serait-ce Héléna? Mais la lune n'est pas encore pleine.

Dans les autres tentes, les campeurs se réveillent.

— Qu'est-ce que *c'était?* demande l'un d'eux.

J'entends un garçon pousser des *houuouououou* fantomatiques.

— Est-ce que c'était un OURS? crie quelqu'un.

Léa allume sa lampe de poche.

— Je vais aller voir, lance-t-elle courageusement.

— Aïe, dit Béatrice. S'il te mange, est-ce que je peux avoir tes jolies bottines noires?

Léa lui fait une grimace, puis ouvre la fermeture éclair et sort. Après une seconde d'hésitation, je la suis. Béatrice sort la tête, mais demeure dans l'entrée de la tente, indécise.

Léa promène le faisceau de sa lampe de poche autour du campement. Tout semble normal. Le bruit métallique reprend. Léa éclaire un côté de notre tente.

— Oh, fait-elle.

J'avance la tête pour regarder. J'aperçois un gros raton laveur, la tête dans un moule à gâteau en aluminium. Il lèche l'intérieur avec gourmandise, ses petites pattes agrippées aux rebords.

M. Samuel sort en rampant de sa tente, de l'autre côté du campement. Il s'approche avec une casserole et une cuillère, et fait beaucoup de bruit en criant :

— Aaaaaaaaah! Va-t'en!

Le raton laveur sort la tête du moule et jette un regard courroucé à M. Samuel. Puis il s'éloigne lentement dans les bois.

Tous les campeurs sortent de leur tente, riant et parlant, curieux de savoir ce qui se passe.

— QUI a laissé de la nourriture hors des bacs de métal? demande M. Samuel d'un ton accusateur.

Tout le monde détourne le regard. Puis Julien lève lentement la main.

— Heu, je pense que c'est moi. C'était le moule des

carrés au chocolat. Je suis désolé.

— La prochaine fois, n'oublie pas, dit sévèrement l'enseignant. Si ça avait attiré un ours, nous aurions vraiment été dans le pétrin. Maintenant, tout le monde au lit!

Julien hoche la tête d'un air penaud. Nous retournons lentement à nos tentes.

Je regarde autour de moi.

— Où est Héléna? dis-je en chuchotant à Béatrice et Léa.

Elles semblent aussi inquiètes que moi.

Puis nous entendons une voix derrière nous.

— Qu'est-ce qui se passe?

Je me retourne vivement et aperçois Héléna, joyeuse et détendue.

— Pourquoi êtes-vous tous debout? demande-t-elle d'un ton innocent.

— Où étais-tu? lui dis-je.

— Aux toilettes, répond-elle en haussant les épaules. Que se passe-t-il?

— Un raton laveur, dit Béatrice avec un geste dédaigneux de la main. Allons nous coucher.

Elle entre dans la tente.

— Il y avait un raton laveur? s'exclame Héléna avec une moue. Je les adore! Ils sont si mignons!

— Tout le monde paniquait, lui dit Léa en levant

les yeux au ciel. Bonne nuit!

En me recouchant, je souris, en me disant :

Tu vois? Il y a toujours une explication logique.

Chapitre seize

Le lendemain matin, la lumière me semble plus éclatante que d'habitude. Je grogne et me frotte les yeux.

— Il est trop tôt, dis-je en gémissant. Je ne sais pas quelle heure il est, mais je sais qu'il est tôt. Et il fait froid. *Très* froid.

En m'assoyant, le haut de mon corps se retrouve hors de mon sac de couchage chaud et douillet, et j'ai l'impression d'être dans un énorme congélateur.

— Debout! dit joyeusement Léa. C'est une belle journée.

Elle est déjà habillée et se brosse les cheveux.

Béatrice pousse un grognement et s'enfonce davantage dans son sac de couchage.

— J'ai quelque chose qui va vous convaincre de vous lever, dit Léa en tirant une carte de son sac. Aujourd'hui, on va faire une randonnée!

— Si tu crois que la perspective d'une activité physique va me faire sortir de mon sac de couchage, tu me connais mal! répond sèchement Béatrice.

Léa lève les yeux au ciel et étale la carte sur le sol.

— Regardez, il y a plein de sentiers près d'ici. Le guide suggère deux parcours pour les groupes. L'un est assez facile et va jusqu'aux chutes. L'autre, qui se rend au belvédère, est un peu plus difficile.

— Hum, dit Héléna en s'agenouillant près de Léa. Qu'en penses-tu, Marisol?

Je m'extirpe de mon sac de couchage et fais la grimace en sentant l'air froid sur le reste de mon corps. Je suis gelée, même si je porte un pantalon de survêtement. Je n'ose imaginer comment je me sentirais en pyjama. Je me penche pour regarder la carte de Léa.

Le sentier menant au belvédère comprend des pentes assez abruptes, et doit offrir une vue magnifique. Celui qui mène aux chutes est plus court. J'aime les chutes, mais j'aime aussi marcher, alors pourquoi pas le plus long? Je suis sur le point d'approuver, quand je remarque que le sentier des chutes traverse plusieurs lignes bleues. Des cours d'eau.

Je regarde Héléna. Elle choisira probablement le même sentier que moi. L'argent ne l'a pas dérangée, mais ce n'est pas une véritable superstition au sujet des loups-garous (à part les balles d'argent, et je n'ai pas l'intention de tirer sur elle). Si elle peut traverser un cours d'eau, est-ce que cela prouvera quelque chose?

Pas vraiment. « Dans certaines cultures, les loups-garous ne peuvent pas traverser de cours d'eau », a dit Arthur. Une information aussi vague ne m'empêchera pas de me poser des questions sur Héléna. Toutefois, si elle ne peut pas traverser le cours d'eau ou trouve une excuse pour ne pas le faire, cela pourrait indiquer qu'elle est un loup-garou. L'expérience en vaut la peine.

— Je préfère aller aux chutes, dis-je d'un ton ferme en regardant Héléna.

— D'accord, fait-elle. Moi aussi.

Léa fronce les sourcils.

— Zut, je croyais que vous viendriez avec moi sur le sentier du belvédère. Et toi, Béatrice?

— Tu veux rire? lance Béatrice. Soit je vais sur un sentier facile, soit je reste ici pour me vernir les ongles.

— Bon, dit Léa. Je parie qu'Andréa et Bianca viendront avec moi.

Béatrice éclate de rire.

— Andréa va y aller au pas de course!

Après le déjeuner, Andréa et Bianca, ainsi que d'autres campeurs et un enseignant, décident d'aller jusqu'au belvédère avec Léa. Un deuxième groupe choisit de parcourir une partie d'un sentier encore plus long. Julien, Arthur, M. Samuel et quelques autres élèves nous accompagnent jusqu'aux chutes.

Parfait, me dis-je. *Comme ça, je verrai si Julien peut traverser un cours d'eau.*

Le temps s'est réchauffé pendant le déjeuner. C'est une journée magnifique. L'air est clair et frais. La neige sur la cime des montagnes et l'odeur des pins me rappellent Noël. Je me dis que dans deux mois, à Noël, je serai de retour à Austin. Pour la première fois, je suis triste à l'idée de quitter mes nouveaux amis et de rentrer chez moi.

— Regarde, dit Julien en montrant le ciel.

Un énorme oiseau décrit des cercles, à la recherche d'une proie.

— Est-ce un faucon? dis-je.

— Un aigle royal. Il y a près de trois cents espèces d'oiseaux dans le parc. Le mois d'octobre est un bon moment de l'année pour les voir.

— Et observer d'autres animaux, ajoute Héléna. Regarde, il y a des empreintes de renard à côté du sentier. Si tu cherches dans les montagnes, tu verras peut-être des chèvres.

Je scrute les cimes, espérant en voir une, mais en vain. Au-dessus de nous, j'entends des écureuils glapir dans les branches. Héléna me touche le bras et désigne un énorme lièvre blanc qui s'éloigne du sentier à petits bonds. Il nous évite, mais ne semble pas particulièrement effrayé.

J'entends un bruit d'eau devant nous. Après un virage, nous apercevons un pont de bois rustique qui enjambe une rivière. *Un cours d'eau!*

Je ralentis le pas pour observer Héléna. Julien continue devant nous, mais Héléna hésite.

— Qu'est-ce qu'il y a? me demande-t-elle. Veux-tu prendre une photo?

— Heu, oui, dis-je en me rappelant que j'ai apporté mon appareil.

Je le sors de ma poche et prends une photo du pont et de la montagne en arrière-plan.

Héléna attend à mes côtés. Je la regarde du coin de l'œil, essayant de voir si elle s'arme de courage pour traverser le pont.

— Viens-tu? demande-t-elle avec impatience.

— Oui, dis-je tout en l'observant le plus discrètement possible.

Rien ne se produit jusqu'à ce que nous approchions

de l'autre côté. Soudain, le pied d'Héléna glisse et elle tombe à la renverse.

—Héléna! Ça va?

Elle reste assise sur le pont. Je regarde le sentier pour voir si quelqu'un va revenir, mais personne n'a rien remarqué.

— Héléna!

Elle se relève en riant.

— Que je suis balourde! dit-elle. Le bois était mouillé.

— T'es-tu fait mal?

Elle secoue la tête.

Nous parvenons sur l'autre rive. Les pensées se bousculent dans ma tête. Est-elle tombée à cause du cours d'eau ou a-t-elle simplement glissé? Elle a franchi le pont, mais est-ce que ça signifie qu'elle a traversé un cours d'eau? Peut-être qu'elle ne peut pas traverser un ruisseau à gué, mais qu'elle peut franchir un pont, même avec difficulté.

Je pousse un soupir. Il y a de quoi devenir folle. Cette histoire de cours d'eau n'était pas très précise.

Après un coude dans le sentier, nous arrivons aux chutes. Elles sont impressionnantes, tombant en cascade du haut des rochers. Il s'agit en fait de deux chutes : un filet d'eau se joint à une grosse masse écumeuse.

— L'été, quand les cours d'eau sont plus hauts, les chutes supérieures sont plus puissantes et cachent celles du bas, explique Héléna. Certains les appellent les chutes truquées, au lieu des chutes de l'Aigle royal.

Les chutes truquées. Je pense aux chutes dissimulées tout l'été sous les chutes plus importantes. On peut les regarder sans deviner qu'il y a un autre niveau dessous. Héléna serait-elle comme ça? La fille qui partage sa maison avec moi, qui monte à cheval et taquine son frère, est-elle la véritable Héléna? Ou y a-t-il une autre Héléna, dissimulée sous ces apparences? La pleine lune révèle-t-elle son autre personnalité, de la même façon que l'hiver révèle la deuxième chute?

J'observe Héléna qui contemple les chutes. Je ne sais pas si je découvrirai un jour la vérité au sujet de ma nouvelle amie.

Chapitre dix-sept

Après notre randonnée, je passe le reste de la journée avec Héléna, Julien et mes autres amis. Tout d'abord, nous faisons une chasse au trésor, suivie d'un pique-nique pour le souper. Nous passons ensuite la soirée à faire des biscuits à la guimauve et au chocolat, et à chanter autour du feu. Je m'amuse tellement que je n'ai aucun mal à chasser mes idées noires au sujet des loups-garous.

Mais une fois sous la tente, allongée dans mon sac de couchage, mes inquiétudes refont surface. Je ne pense pas qu'Héléna va me mordre ou se transformer en loup, alors pourquoi ne puis-je pas me détendre? J'ai l'impression d'être redevenue une petite fille, effrayée par les monstres cachés sous son lit.

Je mets beaucoup de temps à m'endormir. Mon

sommeil est agité, rempli de rêves confus où les images se succèdent : *des branches d'arbres se découpant comme des mains squelettiques sous la pleine lune, des feuilles mortes qui bruissent dans le vent, des crocs qui luisent dans l'obscurité...*

Je n'ai pas bien dormi.

Le lendemain matin, je suis dans les vapes, rongée par l'anxiété.

Béatrice me donne un coup de coude pendant le déjeuner :

— Ça va?

— Mmmm, fais-je en prenant une bouchée de musli. Je suis distraite, c'est tout.

J'aperçois Héléna, de l'autre côté du campement. Elle parle avec Julien.

Béatrice suit mon regard.

— Oh, je vois! dit-elle en gloussant.

Après le dîner, il est temps de rentrer à la maison. Je m'assois à l'arrière d'une fourgonnette entre Léa et Héléna, Béatrice devant nous. Elle se tourne et chuchote :

— Marisol *aime* Julien, mais elle ne veut pas l'admettre.

Je me sens rougir. Léa regarde froidement Béatrice et réplique en haussant les épaules :

— Tout le monde aime Julien. N'est-ce pas, Héléna?

Cette dernière hoche la tête d'un air impassible :

— Oui. Mon frère est très sympathique.

Béatrice lève les yeux au ciel.

— Vous savez très bien ce que je veux dire! grogne-t-elle.

— Attachez vos ceintures, les enfants! lance l'enseignant qui conduit la fourgonnette.

Béatrice se retourne en faisant voler ses boucles rousses.

Léa penche la tête vers moi :

— Alors? chuchote-t-elle. Est-ce que c'est vrai?

Héléna me jette un regard interrogateur.

Je me tortille sur mon siège et marmonne :

— Je ne sais pas. Enfin, c'est sûr que je l'aime bien. Tu l'as dit, tout le monde aime Julien. Comment ne pas l'aimer?

— Je pense qu'il t'aime bien aussi, dit calmement Léa.

— C'est mon ami, dis-je d'un ton ferme. Je ne sais pas *si je l'aime* tout court, mais il est mon ami et *c'est parfait* comme ça.

Cette fois, Léa et Héléna hochent la tête.

— C'est très bien, l'amitié, dit Léa en souriant.

— C'est vrai que Julien t'aime bien, ajoute Héléna. Il m'a dit qu'il te trouvait super.

— Oh, dis-je en rougissant. Tant mieux.

Héléna sourit, puis se tourne vers la fenêtre.

Nous gardons le silence un moment, écoutant le bavardage des autres passagers et la musique country à la radio. À mes côtés, Héléna et Léa se détendent. Les yeux d'Héléna s'alourdissent puis elle s'assoupit.

Ses cheveux et ses vêtements sentent la fumée et le pin, comme les miens. J'aime bien Héléna. Je devrais laisser tomber toute cette histoire. Pourquoi ne pas simplement *décider* que les loups-garous n'existent pas, et oublier tous ces soupçons ridicules?

Étrangement, je suis certaine que Julien n'est pas un loup-garou. Les chevaux n'ont pas eu peur de *lui* à l'approche de la pleine lune. Il n'a eu aucun mal à traverser le cours d'eau, et il ne semble pas être sorti le soir de la pleine lune. Mes soupçons se basent uniquement sur le fait qu'il est le jumeau d'Héléna. Et je me targue d'avoir un esprit scientifique : je sais que les faux jumeaux n'ont pas les mêmes gènes.

Toutefois, je n'arrive pas à oublier mes doutes au sujet d'Héléna. Et si elle était un loup-garou? Que pourrais-je faire? Révéler son secret? J'imagine des gens armés la pourchassant avec des chiens, ou des médecins et des savants l'examinant pour découvrir sa véritable nature. Je frissonne.

Non, me dis-je en me redressant. Je ne pourrais

jamais faire ça à Héléna. Ni à personne, en fait. Mais surtout pas à la timide et sincère Héléna, qui rêve de voir des phoques en liberté. Jamais. Même si elle est différente, je suis certaine qu'elle n'est pas un monstre.

Devrais-je oublier tout ça?

Oui, c'est ce que je vais faire. Je vais oublier toutes ces idées ridicules.

La pleine lune approche. Elle sera là demain soir.

Ça ne veut rien dire. Je vais oublier la pleine lune et les hurlements de loups, et me convaincre qu'Héléna est une fille ordinaire.

Chapitre dix-huit

Le lendemain, j'ai les nerfs en boule. Quand mon réveil sonne, je suis déjà réveillée depuis une heure, à regarder le plafond en essayant de respirer calmement. C'est le jour de la pleine lune.

C'est facile de me dire d'oublier quelque chose, mais c'est plus difficile d'y parvenir.

Durant le déjeuner, je ne peux m'empêcher d'observer Héléna. Elle a les joues rouges, les yeux brillants et les cheveux lustrés. Elle a l'air excitée. Cela me rend nerveuse.

— *Marisol*, dit Julien.

À son ton, je comprends qu'il a répété mon nom plus d'une fois.

— Oui, dis-je en détournant le regard d'Héléna.

— Passe-moi le lait, s'il te plaît. Dis donc, ça va? Tu

regardes dans le vide depuis dix minutes.

— Désolée, dis-je en lui tendant le carton de lait. Je vais bien. Juste un peu fatiguée.

Il m'observe d'un air curieux. Je souris faiblement.

— Il fait beau, déclare joyeusement Héléna. C'est le genre de journée qu'on aime.

Chaque fois que je croise Héléna ce jour-là, elle a un regard intense et semble sur le qui-vive. J'essaie de penser à autre chose, mais je ne peux ignorer sa présence.

À midi, je discute avec Andréa et Léa quand Héléna arrive, toute souriante.

— Avez-vous vu? demande-t-elle en déposant son plateau sur la table.

— Vu quoi? demande Andréa. Je n'ai rien vu de spécial à part le spécial du jour à la viande mystère!

— Regardez! dit Héléna en désignant l'autre côté de la cafétéria.

Nous nous attendions à voir Béatrice arriver bientôt — elle avait un cours d'éduc juste avant le dîner et devait se changer —, mais la voilà, assise avec nul autre qu'Arthur. Ils sont complètement absorbés l'un par l'autre. Ils se sourient et rient, les yeux dans les yeux.

— Ça alors! s'exclame Andréa. Pensez-vous qu'ils… sortent ensemble?

— Elle m'a dit qu'elle le trouvait de son goût, dis-je.

Je regarde le visage rayonnant de Béatrice. Je ne pourrais pas être *amoureuse* d'Arthur, nerveux et hyperactif, mais elle a l'air heureuse.

— Ça ressemble bien à Béatrice, dit Héléna. Quand elle veut quelque chose, elle s'arrange pour l'avoir. Je sais maintenant que c'est la meilleure façon d'agir. On ne peut pas attendre que les choses qu'on souhaite se réalisent sans rien faire.

Léa la regarde avec curiosité.

— Qu'est-ce que tu voudrais, Héléna?

— Je parlais juste de la vie en général, dit Héléna en haussant les épaules.

— Je comprends, répond Léa.

De mon côté, je ne suis pas certaine de comprendre. Héléna agit-elle ainsi à cause de la pleine lune? Béatrice croise notre regard et grimace, nous faisant signe de regarder ailleurs. Héléna pianote sur la table d'un air impatient.

— Hé! s'écrie-t-elle soudain. Allez-vous utiliser vos télescopes, ce soir? C'est la pleine lune!

— Heu, non, répond Léa en fronçant les sourcils. Tu te souviens, nous restons à l'intérieur durant la pleine lune à cause des loups.

Héléna lève les yeux au ciel.

— Les loups ne sont pas si dangereux, tu sais, réplique-t-elle d'un air têtu. Ils n'attaquent pas les gens comme ça.

Léa la fixe du regard.

— Les loups sont dangereux, Héléna. Ils ne mordent pas pour s'amuser, mais ce n'est tout de même pas une bonne idée de s'en approcher. Ce sont des animaux territoriaux et sauvages. Ils ne sont pas amicaux.

D'un air irrité, elle frotte son bras à l'endroit de sa tache de naissance en forme de lune.

Héléna regarde encore le plafond. Le pli entre les sourcils de Léa se creuse davantage. Elle ouvre la bouche pour dire quelque chose, hésite, puis la referme.

Évidemment, me dis-je, *Héléna sait probablement déjà tout sur les loups.*

À la réunion du club d'astronomie, après l'école, Arthur s'assoit à côté de moi.

— Pssst! fait-il du coin de la bouche. Hé, Marisol!

— Chut! dis-je, désireuse d'écouter l'exposé.

Il prend un air boudeur et fouille dans son sac à dos. Une minute plus tard, un message atterrit sur mon pupitre :

C'est la pleine lune ce soir. J'ai appris où vit M. Bouvier. Béatrice et moi, on va aller surveiller son appartement. Il ne sera pas là si c'est un loup-garou. Son absence sera un indice. Veux-tu venir avec nous? Apporte un objet en argent au cas où.

J'avais presque oublié les soupçons d'Arthur concernant le prof d'éducation physique. Je ne crois pas qu'il soit un loup-garou, mais qui sait? Du moment qu'Arthur laisse Héléna tranquille, ses théories ne me posent aucun problème. Par contre, Béatrice ne souhaite sûrement pas que je les accompagne.

— Je ne peux pas, mais merci de ton offre, dis-je en chuchotant. Tu me raconteras ce qui s'est passé. Et soyez prudents!

— Message reçu, réplique-t-il d'un air sérieux.

Après la réunion, Léa et moi montons ensemble dans l'autobus. Elle semble fâchée et regarde par la fenêtre. Le soleil est déjà bas à l'horizon.

— Pourquoi Arthur et toi échangiez-vous des messages pendant la réunion? demande-t-elle soudain. A-t-il parlé de Béatrice?

— Pas vraiment, dis-je. Ils vont surveiller l'appartement de M. Bouvier ce soir pour savoir s'il est un loup-garou.

Léa se retourne et me dévisage.

— Il pense que *Bouvier* est un loup-garou? dit-elle d'un ton cassant. Il est vraiment cinglé.

Son changement d'attitude est si marqué au sujet des théories d'Arthur que je dois avoir l'air étonnée.

— Tu ne le crois pas, j'espère? dit-t-elle, les yeux plissés.

— Non…

— Je sens une hésitation, dit-elle en fronçant les sourcils. Tu ne crois pas vraiment que M. Bouvier est un loup-garou? Arthur déteste simplement faire des tractions.

— Eh bien… dis-je en hésitant.

Je me rapproche d'elle après avoir vérifié que personne ne nous écoute. Je n'ai pas l'intention de donner suite à mes soupçons, mais lui en parler m'aidera peut-être. Léa ne ferait jamais de mal à Héléna.

— Je ne pense pas à M. Bouvier, mais il y a quelqu'un d'autre qui m'inquiète. J'ai remarqué des trucs bizarres. Ça peut paraître complètement fou, mais je ne peux pas m'empêcher de penser… qu'elle est peut-être un loup-garou, dis-je en prenant une grande inspiration.

Elle se raidit.

— En as-tu parlé à quelqu'un d'autre?

— Non, et tu ne peux pas en parler non plus, dis-je en secouant la tête. Promets-moi de ne pas le répéter, même pas à elle. Surtout pas à elle.

— Mais de qui parles-tu? demande-t-elle, les yeux écarquillés.

Je prends une grande inspiration.

— D'Héléna. Je me demande si Héléna est un loup-garou.

— As-tu perdu la tête? Honnêtement, Marisol, Héléna a toujours été la plus timide de toute l'école. Elle commence à peine à sortir de sa coquille, et tu la traites de loup-garou? Je croyais que tu étais son amie!

— Je suis son amie, mais…

— Arrête! grogne Léa en levant la main. Marisol, les loups-garous n'existent pas.

Je ne l'ai jamais vue aussi fâchée. Elle se tourne brusquement vers la fenêtre et m'ignore pour le reste du trajet.

Quand l'autobus s'immobilise à mon arrêt, je me lève et lui dis doucement :

— Je suis désolée, Léa.

Elle ne répond pas.

Super. Maintenant, Léa est fâchée contre moi. Je soupire. J'aurais dû garder mes soupçons pour moi. Je descends de l'autobus et me dirige vers la maison. Julien est allé chez un copain après le club de cuisine. Je suis déçue qu'il ne soit pas là. J'aurais bien besoin d'un ami pour me changer les idées...

Chapitre dix-neuf

Héléna est agitée durant le souper. Elle fait tinter son verre en le tapotant du bout des doigts, et fait tressauter son assiette en la frappant avec sa fourchette. De l'autre côté de la table, Julien lui jette un regard étonné.

— Héléna, qu'est-ce que tu as? chuchote-t-il.

Elle hausse les épaules. Quant aux parents, ils ne semblent rien remarquer.

— Levons nos verres! lance Martin avec bonne humeur. Nous vivons ensemble depuis un mois. Je sais que je parle au nom de Michelle et des enfants en disant que nous apprécions beaucoup votre présence. Vous êtes les bienvenues aussi longtemps que vous le voudrez, ajoute-t-il en souriant.

— Merci! dit ma mère en entrechoquant son verre

avec le sien. J'aimerais ajouter à quel point Marisol et moi vous sommes reconnaissantes de nous avoir accueillies au sein de votre maison et de votre famille.

Nous trinquons et Julien sourit. Nous baignons dans une atmosphère chaleureuse et amicale. Mais je ne peux m'empêcher de songer que dehors, le soleil se couche. La nuit va bientôt tomber. Je voudrais sortir de ce cercle d'amitié pour aller voir si la lune se lève.

Après le souper, Héléna débarrasse la table et embrasse ses parents.

— Je vais aller lire dans ma chambre, dit-elle gentiment. Je vais probablement me coucher tôt, alors je vous dis bonne nuit tout de suite.

Je regarde l'horloge. Il est 19 h 30.

Suis-je la seule à trouver bizarre qu'Héléna monte se coucher si tôt?

On dirait que oui, car ses parents et ma mère se contentent de sourire et de lui dire bonne nuit. Julien agite la main, affalé sur le canapé du salon pour regarder la télé.

— Je monte aussi, dis-je aussitôt. J'ai des devoirs à faire, et je me coucherai après.

Héléna n'est certainement pas un loup-garou, mais tout de même… juste au cas…

Je monte l'escalier à sa suite. En arrivant au deuxième étage, elle entre dans la salle de bain. Je vais donc lire dans ma chambre. Mais je n'arrive pas à me concentrer. Tous mes sens sont en alerte. Je me demande ce qu'elle va faire... Quand je l'entends retourner dans sa chambre, j'attends une demi-heure, puis je sors dans le couloir. Juste pour vérifier. Je sais qu'elle ne sera pas là.

Je frappe à sa porte.

— Oui? lance-t-elle.

Oh.

J'ouvre la porte. Elle est pelotonnée sur son lit, en train de lire.

— Heu, dis-je. Je… as-tu vu mon chandail rouge?

Elle secoue la tête.

— Bon, dis-je, embarrassée. Merci.

Je retourne à ma chambre.

Tu vois? Elle est en train de lire, comme elle l'avait dit. Elle n'a pas de crocs et ne se faufile pas dehors pour hurler à la lune. Maintenant, pense à autre chose!

Vingt minutes plus tard, je sors dans le couloir. J'aurais peut-être moins de mal à me concentrer sur mon devoir si j'étais dans la même pièce qu'Héléna. J'espère que ça ne la dérangera pas que je travaille à côté d'elle. Je frappe.

Pas de réponse.

J'ouvre la porte. La lumière est toujours allumée et il y a un livre sur l'oreiller. Mais Héléna n'est pas là.

Chapitre vingt

La brise fait gonfler les rideaux blancs à la fenêtre. Je reste figée. Je m'étais presque convaincue que je trouverais Héléna dans sa chambre. Je m'approche de la fenêtre et regarde dehors.

Les branches d'un grand arbre touchent presque la fenêtre. Le toit en pente procure une surface où marcher si on veut atteindre l'arbre en suivant la branche. Est-ce ce qu'Héléna a fait? Je regarde en bas et frissonne. Dans l'obscurité, je ne peux même pas distinguer le sol sous la fenêtre.

Impossible. Je ne vais pas essayer de sortir par là. Je quitte la chambre d'Héléna et descends sur la pointe des pieds, m'arrêtant au bas de l'escalier pour écouter. J'entends la télé dans le salon. Julien s'y trouve donc toujours. Puis j'entends la voix de Martin, installé avec lui. Michelle et ma mère discutent dans la cuisine.

Je me faufile dans le couloir, retenant mon souffle quand je passe devant la cuisine. Je déverrouille silencieusement la porte d'entrée et me glisse dehors en refermant doucement derrière moi.

Une fois à l'extérieur, je me mets à frissonner. J'aurais dû apporter une veste. Je croise les bras sur ma poitrine et baisse la tête pour me protéger du vent. Il fait noir et il y a une forte odeur de gel. Le vent souffle en rafales, agitant les feuilles mortes près de la maison. La pleine lune brille dans le ciel, éclairant les bois aux alentours. J'entends les chevaux hennir nerveusement dans l'écurie.

Que je suis nulle! Si Héléna est dehors, comment vais-je la retrouver? Elle a pu aller n'importe où après être sortie par la fenêtre. Tournant le dos à l'écurie, je commence à faire le tour de la maison en frôlant les plates-bandes et les buissons.

En arrivant derrière la maison, je lève les yeux vers la fenêtre ouverte d'Héléna. Elle projette une lueur dorée dans l'obscurité, créant un long rectangle de lumière sur le sol. Je me penche pour examiner la terre au pied de l'arbre, dans l'espoir de voir des empreintes de pas (ou de pattes). Mais le sol est dur. S'il comporte des traces, je ne les vois pas. J'aurais dû apporter une veste *et* une lampe de poche.

Je contemple la forêt obscure. S'il y a quelque chose là-bas, comment le verrai-je? Je me dis que j'aurais dû rester près d'Héléna, afin de pouvoir la suivre si elle sortait.

Je songe à abandonner et rentrer, quand soudain j'aperçois une lueur. On dirait le faisceau d'une lampe de poche dans les bois.

Je me hâte dans cette direction.

La pleine lune brille, et des brindilles craquent sous mes pas. J'ai froid, j'ai peur. Tout cela me rappelle soudain mes cauchemars. Vais-je croiser un loup-garou dans la forêt? Comment réagir? Je me rapproche du faisceau de lumière, puis ralentis. Est-ce que je cours un danger? Qu'est-ce qu'un loup-garou ferait avec une lampe de poche, de toute façon?

J'avance vers la lueur. Des branches s'accrochent à mes vêtements. Soudain, je suis éblouie par la lumière.

— Marisol? Que fais-tu ici? demande Héléna d'une voix perplexe, et indéniablement humaine.

Elle écarte sa lampe de poche pour ne pas m'aveugler.

— Ce que je fais ici? dis-je. Et toi, que fais-tu ici? Je suis venue te chercher!

— Oh, non! s'écrie Héléna. Est-ce que mes parents savent que je suis sortie? Est-ce qu'ils me cherchent? Je vais me faire chicaner!

— Non, lui dis-je pour la rassurer. Je suis la seule à savoir que tu es ici. À moins qu'ils ne se soient aperçus de notre absence, et dans ce cas nous serons punies toutes les deux.

Je tends la main pour prendre la lampe de poche, et la dirige vers elle. Héléna a les yeux brillants d'excitation, mais me paraît tout à fait normale. Je remarque qu'elle a eu la présence d'esprit de mettre une veste et un chapeau. Elle semble avoir bien plus chaud que moi. Ses cheveux blonds s'échappent de son chapeau, mais ne se sont pas transformés en fourrure. La pleine lune luit dans le ciel, et il est absolument évident qu'Héléna n'est pas un loup-garou.

Quel soulagement!

Je me sens soudain complètement nulle.

— Héléna, pourquoi es-tu venue dans les bois? Étais-tu ici, le mois dernier? Je savais que tu étais sortie.

— Oui, dit-elle en soupirant. Je voudrais vraiment voir un loup. Tu sais qu'ils ont été aperçus dans les environs, surtout à la pleine lune? Il y a toutes sortes d'histoires à leur sujet. On dit qu'ils ont des pouvoirs spéciaux, et même qu'ils sont des loups-garous. Mais je n'ai pas eu la chance d'en voir un. Lors de la dernière pleine lune, je suis grimpée dans un arbre et j'y suis restée presque toute la nuit, à attendre les loups. Je me suis endormie et je suis presque tombée. Je me suis réveillée juste à temps pour reprendre mon équilibre.

Au même moment, un hurlement de loup déchire le silence de la nuit.

Héléna me saisit la main.

— As-tu entendu? demande-t-elle d'une voix tremblante d'excitation.

Quant à moi, je tremble de frayeur.

— Héléna, on doit retourner à la maison.

— Tu veux rire? Il semblait si près d'ici!

— Justement, dis-je en éteignant la lampe de poche.

Peut-être que le loup ne pourra pas nous trouver dans le noir.

Non, c'est ridicule. De plus, est-ce que les loups n'évitent pas les gens à tout prix? Je rallume la lampe de poche.

— Héléna, les loups n'attaquent peut-être pas souvent les gens, mais ça ne veut pas dire qu'ils ne le font pas s'ils se sentent menacés. Par exemple, par deux filles qui leur sautent dessus au milieu de la nuit...

Héléna reste silencieuse un moment.

— Je suppose que tu as raison, finit-elle par dire. Mais je voulais tellement… J'ai toujours voulu voir un véritable loup.

Elle semble sur le point de fondre en larmes.

— On ira au zoo, lui dis-je. Ce ne sera pas la même chose, mais ce sera quand même fascinant, et beaucoup moins dangereux. Et on fera un don à un organisme pour sauver les loups. *Allez, viens!*

Un autre hurlement retentit. Celui-là me paraît encore plus proche, mais de quelle direction vient-il? Pouvons-nous revenir sur nos pas en sécurité? Sinon, nous aurons peut-être le temps de nous réfugier dans un arbre, comme Héléna l'a fait le mois dernier. Je la tire par le bras. Elle avance de quelques pas.

Puis nous nous immobilisons.

Un loup bloque le sentier qui mène hors de la clairière.

— Ça alors! chuchote Héléna, aussi excitée que terrifiée.

Le loup est maigre et gris, avec des touches de brun sur les oreilles et les pattes, petit et jeune. Ses oreilles sont pointées vers l'avant. Il nous regarde tour à tour et pousse un gémissement. Ses yeux dorés sont fixés sur nous, comme s'il essayait de nous dire quelque chose. Il avance lentement dans notre direction.

Un autre hurlement résonne au loin.

Tenant fermement le bras d'Héléna, je recule lentement pour nous éloigner de lui. La lampe de poche tremble dans ma main, et le faisceau danse sur la clairière.

Le loup s'arrête et me regarde en gémissant doucement. Je maîtrise le tremblement de ma main. L'animal halète, la langue pendante. Quand le faisceau lumineux se pose sur lui, je remarque une marque dorée, en forme de croissant de lune, sur une de ses pattes.

Ce croissant…

Je plonge mon regard dans les yeux du loup. Il a quelque chose de familier...

— Léa? dis-je dans un souffle.

Chapitre vingt et un

— Léa? répète Héléna. Marisol, tu ne penses pas… Léa ne peut pas être un loup!

Soudain, j'en suis certaine. Il y a une louve devant moi, et je sais qu'il s'agit de mon amie Léa. Ce n'est pas seulement à cause de la marque en forme de croissant, identique à la tache de naissance de Léa, ni à cause de l'expression familière de ses yeux. La façon dont la bête se tient et nous observe me rappelle l'attitude calme et sérieuse de Léa.

— Eh bien… dis-je. Je comprends pourquoi elle ne voulait pas que je parle de loups-garous!

La louve retrousse ses babines sur ses crocs pointus, comme si elle souriait. Ou comme si elle grondait pour m'avertir...

Un autre hurlement retentit, plus près, cette fois.

La louve fait quelques bonds vers moi. Je tressaille. Elle saisit délicatement le bord de mon jean entre ses dents, sans toucher ma peau. Elle commence à me tirer vers la maison.

Je crie, paniquée :

— Héléna!

Léa tire plus fort sur mon pantalon. Un autre hurlement répond au premier. Ils se rapprochent.

— Je crois qu'on ferait mieux de partir, Marisol, dit Héléna d'une voix tremblante. On devrait l'écouter.

Léa lâche mon pantalon et donne un petit coup sur ma jambe avec son museau. Puis elle pousse Héléna vers la maison avec son épaule.

— Vite! lance Héléna en se mettant à courir.

Je jette un coup d'œil vers la forêt. Est-ce que des yeux jaunes m'observent dans l'obscurité? La louve Léa, debout à mes côtés, grogne et me pousse à nouveau la jambe. Elle commence à courir à longues enjambées. Je m'empresse de la suivre hors de la clairière.

Des branches me frappent les bras et le visage. J'échappe la lampe de poche, mais je ne m'arrête pas pour la ramasser. Je trébuche sur des cailloux et des branches. Devant moi, j'entends les pas rapides d'Héléna, puis un bruit sourd quand elle tombe. Je trébuche presque sur elle.

— Viens! lui dis-je en l'aidant à se relever. Dépêche-toi!

Nous titubons, hors d'haleine. Nous nous soutenons mutuellement le long du sentier. D'autres hurlements s'élèvent derrière nous. Sont-ils sur nos traces?

Enfin, nous arrivons à la maison. Les lumières sont toujours allumées au rez-de-chaussée. Je tâtonne pour trouver la poignée, m'efforçant de ne pas faire de bruit.

— Marisol, dit doucement Héléna.

Je suis son regard jusqu'au petit cercle de lumière projeté par les fenêtres de la maison.

Dans l'ombre, en bordure de la lumière, se trouve la louve. Est-ce bien Léa? Elle grogne doucement et agite les oreilles d'un air impatient, comme pour dire : *Qu'attendez-vous? Rentrez vite!*

Au lieu de l'écouter, Héléna s'avance vers elle.

— Héléna, dis-je pour la mettre en garde.

Je suis certaine qu'il s'agit de Léa et qu'elle veut nous aider. Toutefois, je ne sais pas quelle part d'elle-même est Léa et quelle part est un animal sauvage. Je ne crois pas que ce soit une bonne idée de s'en approcher.

Héléna continue d'avancer jusqu'à la louve, puis s'agenouille devant elle.

— Léa? dit-elle d'une voix hésitante, en tendant la main comme pour un chien. Merci, Léa.

La louve renifle sa main d'un air digne, les pattes raides, avant d'incliner brièvement la tête. Puis elle disparaît silencieusement dans la forêt.

— Ouf! dit Héléna quelques minutes plus tard. Je n'arrive pas à y croire!

Nous avons réussi à nous faufiler dans la maison et à monter l'escalier sans que personne ne nous voie. Je craignais que nos parents nous cherchent dehors, ou nous attendent à la porte pour nous priver de sortie à jamais. Mais tout est calme. Nous sommes assises sur le lit d'Héléna, encore sous le choc.

— Je n'aurais jamais pu deviner, ajoute Héléna en secouant la tête. *Léa*. Enfin, Léa est la personne la plus normale que je connaisse!

Je réfléchis un moment.

— On ne peut en parler à personne, finis-je par dire.

Elle me regarde avec une expression sérieuse.

— Je sais. On ne peut pas. Qui nous croirait, de toute façon?

— Eh bien… dis-je. Arthur nous croirait. Il est en train de surveiller la maison du prof d'éduc en ce moment, pour vérifier s'il se transforme en monstre.

Héléna glousse.

— Arthur? Est-ce que je t'ai raconté qu'en quatrième année, il m'avait convaincue que j'avais des pouvoirs psychiques? On était tout un groupe à essayer d'allumer des feux de camp avec notre esprit. Ce gars croirait n'importe quoi.

— Je sais! dis-je en riant.

Elle se redresse.

— Peux-tu imaginer comment se sent Léa? Il faut faire quelque chose.

— Quoi donc? Lui dire « ça ne fait rien si tu es un loup-garou »? Promettre de garder le silence?

— Elle doit espérer qu'on ne soit pas convaincues, dit Héléna en haussant les épaules.

Un long hurlement retentit au loin dans la nuit. Je frissonne et demande :

— Penses-tu que c'est elle?

Héléna pousse un soupir.

— Tu sais quoi? Elle doit se sentir très seule avec un si lourd secret.

Je hoche la tête et m'appuie contre le mur. Dehors, la pleine lune poursuit son parcours dans le ciel. Je songe à Léa, tellement intelligente, compétente, scientifique, et à son immense secret. Je me sens triste pour elle. Moi, j'ai Talia, et maintenant, Héléna. Mais Léa peut-elle vraiment se rapprocher de quelqu'un?

Elle doit cacher une si grande partie d'elle-même. Héléna et moi pouvons-nous l'aider, maintenant que nous connaissons la vérité?

Chapitre vingt-deux

Le lendemain, même si nous avons l'impression que le monde est transformé à jamais, nous devons nous lever et aller à l'école. Héléna a l'air aussi endormie que moi durant le déjeuner. Nous parlons à peine en attendant l'autobus et durant le trajet.

— Qu'est-ce que vous avez, toutes les deux? finit par demander Julien d'un air exaspéré en se dirigeant vers les portes de l'école.

Il a essayé de nous parler des cours, de l'émission qu'il a regardée à la télé hier, de cuisine et de toutes sortes de choses. Mais Héléna et moi lui avons à peine répondu.

— Désolée, dis-je en rougissant. C'est la fatigue, je crois.

Héléna hoche la tête.

Il nous jette un regard soupçonneux, puis hausse les épaules.

— D'accord, dit-il.

Julien n'est pas indiscret. J'ajoute mentalement cette qualité à la liste des choses qui me plaisent chez lui.

Je cherche Léa toute la matinée. Chaque fois que je crois l'apercevoir, il s'agit juste d'un reflet de cheveux blonds au bout du couloir ou d'une silhouette au dos droit marchant dans la foule.

— Sais-tu où est Léa? dis-je à Béatrice près de mon casier.

— Non, répond-elle d'un air désinvolte, en tripotant son bracelet. Pourquoi?

— Heu, pour rien. C'est juste que je ne l'ai pas encore vue aujourd'hui.

— Je lui dirai si je la vois. Marisol, j'ai passé une soirée extraordinaire hier, ajoute-t-elle d'un air radieux.

— Ah oui? dis-je, intéressée malgré tout ce qui se passe. Avec Arthur?

— Oui, dit-elle en écarquillant les yeux. Je l'ai seulement accompagné parce qu'il est beau quand il est passionné par quelque chose. Mais il a peut-être raison au sujet de M. Bouvier. Sa maison est sombre et lugubre, et il est sorti très tôt. Il n'était toujours pas rentré quand on est partis. On a fait le tour de la maison, et il y avait de drôles d'empreintes dans le jardin, comme des pattes de gros chien ou de loup.

Je m'apprête à lui demander si elle est certaine que M. Bouvier n'a pas de chien, puis je me ravise en pensant aux hurlements dans les bois la nuit dernière. Je sais maintenant que Léa est un loup-garou, et il est peu probable qu'elle soit la seule. Qui suis-je pour affirmer que M. Bouvier n'en est pas un, lui aussi? C'est une perspective inquiétante, car Léa semblait avoir peur pour nous, hier. Et pour qu'un loup soit effrayé, c'est qu'il doit y avoir une bonne raison. Peut-être que les autres loups-garous ne sont pas aussi inoffensifs.

— Sois prudente, dis-je à Béatrice. Si vous avez raison, il peut être dangereux, surtout avec un tel secret.

Elle hoche la tête d'un air grave.

— Oui. Et même s'il n'est pas un loup-garou, c'est un prof horrible. Je ne voudrais pas qu'il me surprenne dans son jardin. Il me ferait probablement faire deux fois plus de tractions pour le reste de l'année! Ne t'en fais pas, ajoute-t-elle en souriant. Je vais calmer Arthur!

Quand arrive midi, je suis certaine que Léa m'évite. Je me demande si je la verrai durant le repas. Quand j'entre dans la cafétéria avec Héléna, elle est assise à notre table avec Andréa. Elle se redresse en nous apercevant. Son expression est à la fois courageuse et méfiante, comme un soldat en territoire ennemi.

— Bonjour, disons-nous en même temps.

Il y a un moment de silence.

Puis Andréa resserre sa queue de cheval et dit :

— Je ne sais pas si vous avez réfléchi à la vente de gâteaux, mais nous faisons une collecte de fonds pour la danse de cet hiver. Le conseil étudiant demande à tout le monde de préparer quelque chose et, bien sûr, d'en acheter. Julien va faire des carrés au chocolat. Peux-tu préparer quelque chose, Marisol? Et toi, Héléna? Plus il y en aura, mieux ce sera.

— Elle sait que je mets le feu en faisant griller du pain! dit Léa avec un sourire forcé. Mais j'ai promis d'acheter au moins trois parts.

Andréa fronce les sourcils.

— Léa, ce n'est pas drôle. Tu aurais pu faire brûler ta maison! Vas-tu nous préparer une spécialité du Texas? me demande-t-elle en sortant son carnet.

Pendant que nous discutons de la vente de gâteaux, le malaise se dissipe quelque peu. Je promets de faire des biscuits en forme de cactus. Je dois aussi convaincre Andréa que les toasts du Texas ne sont que du pain à l'ail, et non une spécialité régionale que tout le monde rêve de goûter.

Comme je commence à me détendre, Andréa remet son carnet et son stylo dans son sac à dos.

— Où vas-tu? demande Léa d'un ton anxieux.

— J'ai une rencontre de hockey sur gazon, répond Andréa. On va regarder les vidéos de notre dernière partie et parler stratégie. À plus tard!

Après son départ, nous restons assises en silence. Puis Héléna s'éclaircit la gorge :

— Alors... comment s'est passée ta soirée?

— Bien, dit Léa d'un air tendu.

— C'était tranquille pour nous aussi, ajoute Héléna. Je me suis couchée tôt et j'ai dormi comme une bûche. Et toi, Marisol? demande-t-elle en me jetant un regard entendu.

— Moi aussi, dis-je aussitôt. Je ne me souviens même pas d'avoir rêvé.

Léa lève les yeux :

— Ah bon.

— Mais je me demande une chose... reprend Héléna d'un ton désinvolte. Tu sais qu'Arthur parle beaucoup de loups-garous. Il croit que M. Bouvier en est un. Qu'en penses-tu?

Léa hésite, puis déclare d'un ton ferme :

— Les loups-garous n'existent pas. Mais s'ils existaient, reprend-elle d'une voix plus douce, je pense qu'il n'y aurait qu'une ou deux familles. Peut-être des gens qui vivent ici depuis longtemps et qui souhaitent qu'on les laisse tranquilles.

— Oh, dis-je. Alors, tu ne penses pas que les gens deviennent des loups-garous après avoir été mordus, ou après avoir bu de l'eau dans une empreinte de loup?

Mes deux amies me dévisagent durant une minute, puis pouffent de rire.

Léa secoue la tête.

— Probablement pas, répond-elle en soupirant. Mais je pense que ce serait un secret à protéger à tout prix. Toute personne au courant serait en danger.

Héléna et moi hochons la tête.

— Bon, dit Héléna. Tu sais, j'avais l'habitude de sortir la nuit pour tenter de voir des loups, mais je ne le ferai plus.

Puis elle plonge son regard dans les yeux de Léa et ajoute :

— Tu sais que ma famille vit ici depuis longtemps.

Léa hausse les sourcils.

— La mienne aussi.

— Eh bien, poursuit Héléna, j'ai toujours eu honte de ce que mes ancêtres ont fait. Ils ont… heu… été injustes envers d'autres familles du village. Les histoires que j'ai entendues m'ont fait croire que les gens étaient pires que les animaux. J'ai toujours voulu améliorer les choses.

Je songe aux villageois qui ont chassé leurs voisins. Michelle a dit que sa famille avait été mêlée à cette histoire, sans préciser le rôle qu'elle avait joué. Je me suis trompée. Les membres de sa famille n'étaient pas des loups-garous, mais plutôt des gens effrayés qui ont brûlé les maisons de leurs voisins et les ont chassés du village.

Léa et Héléna échangent un long regard.

— Parfois, ça aide d'avoir des amis pour nous soutenir, dit Léa.

— Vous savez, dis-je à mon tour, même si je ne suis pas ici depuis longtemps, j'ai vraiment l'impression qu'on est devenues de bonnes amies. Et si une de mes amies avait un secret, je ne le révélerais jamais à personne.

— Moi non plus, renchérit Héléna. C'est ça, l'amitié.

Léa lève les yeux et sourit faiblement, les yeux brillants. On dirait qu'elle va fondre en larmes.

— D'un autre côté, ajoute nonchalamment Héléna, si une amie avait besoin de parler de *quoi que ce soit*, je pense que ce serait très important de l'écouter. Et de ne jamais rien répéter.

— Je suis tout à fait d'accord, dis-je.

La bouche de Léa tremble.

— De façon générale, ça fait du bien de parler, dit-elle d'une voix douce. C'est parfois difficile d'aborder certains sujets dans ma famille. Leur point de vue est légèrement différent de celui qu'aurait une amie. Si vous voyez ce que je veux dire...

Elle nous fait un grand sourire. Nous lui sourions en retour. À nous trois, nous formons un cercle chaleureux d'amies et de confidentes.

Je pense à mes deux nouvelles amies, à Béatrice et Andréa, et aussi à Julien, aux chevaux, aux montagnes et à l'immense ciel du Montana.

Héléna pousse un soupir.

— Je vais m'ennuyer de toi, Marisol. Les choses ont beaucoup changé depuis que tu es ici.

— Oui, ajoute Léa. J'ai l'impression qu'on commence à peine à être amies.

Je toussote. Ma mère et moi avons parlé de la possibilité de prolonger notre séjour, mais j'hésite. Je m'ennuie d'Austin, mais j'aime aussi beaucoup Wolf Valley. Et je me sens très près d'Héléna et de Léa depuis notre aventure de la nuit dernière.

— Vous savez, leur dis-je, ma mère resterait ici pour le reste de l'année scolaire si j'étais d'accord.

— Vraiment! s'exclame Léa.

— Mes parents aimeraient beaucoup que vous restiez, ajoute Héléna. Julien et moi aussi!

Je souris à mes nouvelles amies.

— On est seulement en octobre. J'ai hâte de voir ce qui se passera dans cette ville le reste de l'année.

Je devrai tout expliquer à Talia et lui assurer qu'elle sera toujours ma meilleure amie, même si on ne se reverra pas avant l'été. Je sais que je lui manque, et elle me manque aussi.

Mais je commence à peine à découvrir la vie à Wolf Valley. En tant que scientifique, je suis certaine qu'il y a encore beaucoup de choses à apprendre dans cette petite ville. Ma mère avait raison : jusqu'ici, ma vie au Montana a été une grande aventure, et j'ai l'impression que ça ne fait que commencer!

À PROPOS DE L'AUTEURE

Clare Hutton adore les nuits au clair de lune, mais n'a jamais vu de loup-garou (à sa connaissance, du moins!). Elle vit dans le quartier de Queens, à New York, avec son mari et leurs deux enfants.